Omslag & Binnenwerk: Buronazessen, Arnhem

Drukwerk: Grafistar, Lichtenvoorde

ISBN 978-90-8660-225-4

© 2013 Uitgeverij Ellessy
Postbus 30227
6803 AE Arnhem
www.ellessy.nl

TEGENSTELLING

GEERTRUDE VERWEIJ

LIEFDESROMAN

ELLESSY
RELAX

Hoofdstuk 1

Aarzelend drukte Nina op de bel naast de indrukwekkende voordeur. Lang hoefde ze niet te wachten. De deur vloog open en een vrolijke stem zei: 'Jij bent vast Nina, onze nieuwe au pair. Ik ben Renske de Wit. Wat fijn dat je er bent. Kom gauw binnen.'

Nina was even uit het veld geslagen. Om niet direct met de mond vol tanden te staan had ze zich een prachtige openingszin ingeprent: 'Goedemorgen, ik ben Nina Veldman, uw nieuwe au pair.' Maar ja, dat kon ze nu niet meer zeggen. Gelukkig wist ze wel dat Renske het zusje van haar nieuwe werkgeefster was en bij haar veel oudere zus en zwager in huis woonde. Aarzelend knikte ze. Renske leek dat voldoende te vinden en stapte opzij, zodat Nina naar binnen kon.

'Kon je het gemakkelijk vinden?'

'Eh, ja. Het is niet ver van de bushalte.'

'Sofie vond het verschrikkelijk dat we je niet konden ophalen, maar ja, ons autootje begaf het ineens en Marco had die van hem nodig.'

'Oh, dat is geen probleem.' Ze tilde haar grote koffer over de hoge drempel.

'Heb je daar de hele tijd mee rondgesjouwd? Ja, het is natuurlijk logisch dat je behoorlijk wat bagage bij je hebt. Daar hebben we niet bij stilgestaan. Wat stom. Ik had vervoer moeten regelen. De laatste tijd zitten we wel vaker met dit soort dingen. Eigenlijk moet ik gewoon een eigen autootje kopen.'

Nina schudde haar hoofd. 'Hij is niet zwaar. Het ging best.'

Ze hoopte dat ze niet al te stuntelig overkwam. Het leek wel of haar tong in de knoop zat. Het viel nog mee dat ze niet terugviel in haar oude kwaal en ging stotteren.

Renske pakte de koffer van haar over. 'Ja, het valt mee. Maar dan nog. Het is niet netjes dat we je ermee hebben laten sjouwen.' Ze keek even nadenkend om zich heen. 'Misschien is het handig als ik je eerst je kamer even laat zien? Misschien wil je je even opfrissen?'

Toen Nina net iets te lang aarzelde, zuchtte Renske en schoot toen in de lach. 'Ik val wel direct door de mand op deze manier, hè? Je bent vast gewend aan werkgevers die hun zaken beter op een rijtje hebben. Wij zijn beginnelingen.'

'Hebben jullie verder geen personeel?'

De uitdrukking op Renskes gezicht was zo verbaasd dat Nina er bijna om moest lachen.

'Personeel? Oh ja. Zo zou je het kunnen noemen. Nee, niet echt. Of ja, eigenlijk wel. Er is een schat van een vrouw die ons helpt met schoonmaken.'

'Een interieurverzorgster.'

'Zelf noemt ze zich onze werkster. Maar wij noemen haar gewoon Maria.'

Nina keek verrast naar de jonge vrouw die naast haar de trap op liep. 'Mijn vorige werkgevers waren nogal gesteld op… hoe zeg je dat?'

'Standsverschil?'

'Ja, dat bedoel ik. Ik heb er nooit moeite mee gehad, hoor.'

Ineens besefte Nina dat ze iets doms gezegd had. Misschien was die Maria wel heel speciaal voor dit gezin, maar dat betekende dan nog niet dat zijzelf ook zo behandeld zou worden. Hoe je het ook noemde, ze was personeel. Ze bloosde verlegen, maar Renske zag het niet en zei vrolijk: 'Hier is je kamer. Ik hoop dat je het wat vindt. Eigenlijk had Sofie het appartement boven bestemd voor de au pair, maar daar wonen Roos en ik nu weer. Als wij weggaan is het voor jou.'

Nina herinnerde zich dat het bureau iets had gezegd over woonruimte op de bovenste verdieping, maar ze had niet begrepen dat het om een compleet appartement ging. Dat was ook helemaal niet nodig. Een kamer was genoeg. Ze hoopte alleen dat het een beetje redelijke afmetingen had. Je vrije uren doorbrengen in een kamer waar amper een bed in past, is op den duur niet te doen. Renske gooide de deur van een kamer aan het einde van de gang open en Nina keek nieuwsgierig naar binnen.

'Wat mooi!' Ze kleurde van schrik om haar spontane uitroep, maar Renske knikte.

'Ja, mooi hè? Sofie heeft smaak. Ze hoopte dat je deze kamer mooi zou vinden. Maar als je het niets vindt, moet je het eerlijk zeggen, hoor. Er zijn nog twee logeerkamers en ze hebben allemaal een andere stijl.'

'Ik vind dit prachtig. Te mooi voor een au pair.'

'Waarom te mooi? Het hele huis is met zorg ingericht, dus jouw kamer ook. We leven niet meer in de negentiende eeuw, toen de dienstbodes in piepkleine kamertjes met Spartaanse meubels weggestopt werden. Tegenwoordig is dat toch heel anders.'

Nina wist wel beter, maar ze hield haar mond. Glimlachend keek ze om zich heen, naar de mooie lichte meubels, de glanzende houten vloer en de grote ramen waar het licht door naar binnen stroomde.

'Ik denk dat ik me hier wel thuis zal voelen. Het is zo licht en vrolijk.'

'Dat is het hele huis. Sofie houdt van lichte kleuren. Mijn appartement is veel donkerder van toon. Ook gezellig hoor, en er komt meer dan genoeg licht binnen door de dakramen boven mijn tekentafel.'

'Tekentafel? Ben je kunstenaar?'

Renske knikte langzaam. 'Sommige mensen zouden dat waarschijnlijk wel zeggen. Zelf vind ik het gewoon een vak. Ik ontwerp kleding en ik hoop over een tijdje een eigen kledinglijn op te zetten. Op dit moment ben ik vooral bezig met het verzorgen van mijn eigen dochter, de twee minimensjes en hun moeder, maar nu jij er bent heb ik mijn handen weer vrij om hard aan het werk te gaan.'

'Jouw dochter is vier jaar, toch? En de tweeling is acht weken oud.'

'Klopt. Het is jammer dat je die eerste paar weken gemist hebt, maar ze zijn nog jong genoeg om zonder problemen aan je te wennen.'

'Dat lijkt me wel. Waar is de kinderkamer? Ik zie geen verbindingsdeur.'

'De kinderkamer is naast de slaapkamer van Sofie en Marco, aan de andere kant van de gang.'

'Is dat wel handig? Dan horen zij ze 's nachts eerder dan ik.'

'Dat is ook de bedoeling. Sofie geeft borstvoeding, dus heeft het weinig zin om jou 's nachts heen en weer te laten wandelen. Trouwens, als Sofie thuis is, wil ze sowieso alles zelf doen.'

Verbaasd vroeg Nina: 'Maar waarom hebben ze dan een au pair?'

'Voor de momenten waarop Sofie aan het werk is. Deze week beginnen de opnames voor de serie, dus wees maar niet bang dat je hier niets te doen zult hebben. En zodra jij hier een beetje gewend bent, ga ik van de gelegenheid gebruik maken en wat afspraken plannen, dus dan krijg je ook de zorg voor Roos er nog bij. Ze zit wel op school, maar ze eet tussen de middag thuis en moet gehaald en gebracht worden. Dat kan een beetje hectisch worden als je de kleintjes helemaal alleen hebt, maar ik zal proberen de boel een beetje handig in te plannen.'

'Ik ben wel wat gewend, hoor. In mijn allereerste gezin zorgde ik voor vijf kinderen. De jongste was een baby en de oudste was acht.'

'Vijf? Dat is veel voor één au pair. Ik moet er trouwens ook niet aan denken om vijf keer in acht jaar te moeten bevallen. Ik heb bewondering voor die moeder.'

'Alleen de jongste was van haar. De oudste vier waren haar stiefkinderen.'

Nina vond het niet nodig te roddelen, maar bewondering voor haar voormalige bazin vond ze te ver gaan. Het was een kille en egoïstische vrouw geweest, die geen greintje liefde voor haar kinderen toonde.

Renske keek haar aandachtig aan. 'Jij zegt lang niet alles wat je denkt, hè?'

Nina kleurde. Was het zo opvallend? 'Ik ben niet zo'n prater.'

'Geeft niets. Ik praat af en toe te veel. En Roos kletst je de oren van het hoofd. Dus stil zal het hier niet vaak zijn.' Renske sloeg haar handen voor haar mond. 'Oh, zie je wel, daar ga ik al. Ik bracht je hierheen zodat je je even kon opknappen en ondertussen sta ik maar te kletsen. Je mag me gerust in de rede vallen als ik dat doe, hoor!'

'Ik zou niet durven.'

'Af en toe is het gewoon nodig. Maar goed, ik zal je even met rust laten. Denk je dat je de huiskamer kunt vinden? Of zal ik je over een kwartiertje of zo komen halen?'

'Ik vind het wel. Zo groot is het hier niet.'

'Niet? Och, je bent natuurlijk gewend aan Amerikaanse afmetingen. Voor Nederland is dit behoorlijk groot. Maar goed. De huiskamer is de eerste deur rechts als je de trap af loopt.'

Renske liep naar de deur, maar draaide zich ineens om. 'Vergeet ik helemaal te zeggen. Hier links zit de gastenbadkamer, die heb je helemaal voor jezelf, tenzij we logees hebben, maar dat komt niet vaak voor. En nu laat ik je echt even met rust. Neem de tijd. Sofie en de kleintjes doen een middagdutje, die worden pas over drie kwartier wakker.'

Nina knikte. Pas toen ze Renske de trap af hoorde lopen, ontspande ze zich en liet zich op het bed zakken. Ze zuchtte. Dit was heel anders dan ze verwacht had. Ze was gewend om buiten de familie te staan en dat vond ze niet zo'n ramp als ze heel eerlijk was. Maar als ze Renske moest geloven, zou dat hier heel anders gaan. Het viel haar op dat Renske haar zus 'Sofie' noemde. Nina wist wel dat dat de echte naam van het bekende fotomodel Sophia Whittam was, maar het klonk zo gewoontjes dat ze er toch heel erg aan moest wennen. Niet dat ze zelf Sofie zou zeggen. Dat kon echt niet. Mevrouw Whittam moest dat zijn. Of eigenlijk mevrouw Van Wijk, want ze had de naam van haar man aangenomen na haar huwelijk. En hoewel Renske van haar eigen leeftijd was, misschien zelfs iets jonger, kon ze waarschijnlijk toch beter mevrouw De Wit tegen haar zeggen. Het was verstandiger om van het begin af aan afstand te bewaren.

Ze opende haar koffer en begon systematisch haar spullen uit te pakken. Er was meer dan genoeg kastruimte, dus ze was in een mum van tijd klaar. Ze zette de koffer onder in de grote kledingkast, pakte haar toilettas en liep naar de badkamer die Renske haar aangewezen had. Die was nog mooier dan haar kamer. Ze wist eigenlijk niet wat ze had verwacht, maar in ieder geval niet dit. De badkamer was enorm. Er waren twee wastafels, een grote douchecel en een enorm bad. Een bubbelbad. Dit kon niet waar zijn. Ze was vast de verkeerde deur binnengegaan. Schichtig liep ze weer naar buiten. Links had Renske gezegd. Dan moest dit wel goed zijn. Rechts was de trap. Het kon dus niet anders. Het was bijna niet te geloven. En misschien klopte het ook gewoon niet. Misschien was Renske in de war. Dat zou toch kunnen? Misschien zouden ze haar straks direct op haar plaats zetten, net zoals mevrouw Jones dat gedaan had.

'Wie denk je eigenlijk dat je bent, meisje?' Het was niet zozeer wat ze zei, maar de manier waarop. Zo neerbuigend. En het ergste was nog dat...

Nina schrok op uit haar gedachten toen er op de badkamerdeur geklopt werd. Renske keek haar verontschuldigend aan. 'Ik was vergeten extra handdoeken neer te leggen. Vertel het maar niet aan Maria. Ik had haar nog zo beloofd dat ik ervoor zou zorgen.'

'Er hangt toch een handdoek? Of mocht ik die niet gebruiken?'

'Natuurlijk mocht dat. Hij hangt er toch?' Renske legde de stapel mooie, dikke handdoeken op het rekje boven het bad.

'Gebruikte handdoeken mag je in de wasmand gooien. En je kunt deze wasmand ook gebruiken voor je eigen kleren. Maria wast alles wat ze in de wasmanden vindt.'

'Ik kan het ook zelf doen.'

'Je kunt Maria vertrouwen, hoor. Ze weet hoe ze mooie stoffen en dure kleding moet behandelen.'

'Oh, dat bedoel ik niet. Ik heb geen dure kleding. Maar ik wil niemand tot last zijn.'

'Dat beetje was van jou kan er wel bij, hoor. We hebben twee baby's, een kleuter en drie volwassenen in huis. De wasmachine draait hier dagelijks.' Renske keek Nina aan. 'Ben je al klaar om mee naar beneden te gaan? Sofie is ook al op. Ze is erg benieuwd naar je.'

'Ik ben klaar.'

Nina haalde diep adem en liep achter Renske aan, die vlot de trap af rende en toen abrupt stopte.

'Sorry, ik ga te snel. Ik ben altijd aan het rennen. Domme gewoonte.'

'Ik ben gewoon langzaam.'

Renske vervolgde haar weg naar beneden wat minder snel, gooide de deur van de huiskamer open en liep naar binnen. Nina volgde aarzelend. Vervelend was dat, als je nog niet wist wat de gewoontes waren in een nieuw gezin.

Een slanke vrouw met prachtig rood haar stond op en liep naar haar toe.

'Jij moet Nina zijn. Ik ben Sofie van Wijk. Welkom in ons huis. Ik hoop dat je je kamer mooi vindt.'

'Ja, hij is prachtig.'

'Ze vond hem te mooi voor een au pair,' zei Renske.

Sofie fronste. 'Dat meen je toch niet? Er is geen enkele reden om dat te denken. Ik ben juist zo blij dat je er bent. Het minste wat ik kan doen is zorgen dat je een mooie ruimte hebt om je terug te trekken als je dat wilt.'

'Ik ben er erg blij mee.'

Renske leek nog iets te willen zeggen, maar vroeg: 'Zal ik even koffie zetten? Of wil je liever thee, Nina?'

'Thee, graag. Als het niet te lastig is.'

'Dan zou ik het niet vragen. Bovendien drinkt Sofie ook meestal thee.'

Sofie lachte toen de deur achter haar zusje dichtviel. 'Renske is een koffieleut. Ze gaat er gewoon vanuit dat iedereen net zo graag als zij stijf staat van de cafeïne.'

'Ik vind het niet echt lekker.'

'Geen probleem. We zullen er rekening mee houden.'

'Dat hoeft niet, hoor. Ik drink wel koffie als dat gemakkelijker is.'

'Onzin. Thee zetten is zo gebeurd.' Sofie liep naar de reiswiegjes die in de hoek van de kamer stonden. 'Je bent zeker erg nieuwsgierig naar de kinderen?'

'Zijn ze daar?' Nina hoorde zelf hoe verbaasd het klonk. Ze vulde aan: 'Ik dacht dat de kinderkamer boven was?'

'Dat is ook zo, maar ik vind het gezellig als ze dicht bij me in de buurt zijn. Marco en Renske willen dat ik 's middags een dutje doe, maar ik weiger naar bed te gaan. Dat vind ik zo... ik weet het niet. Ik ben niet ziek, alleen maar een beetje moe. Dus lag ik hier op de bank en de jongens in hun reiswiegjes. Kom even kijken. Ze slapen nog.'

Sofie boog zich over de wiegjes en streelde de wangetjes van haar zoontjes. 'Zijn ze niet mooi? Dat vindt iedere moeder natuurlijk. Ik kan af en toe gewoon niet geloven dat dit echt mijn kinderen zijn...'

Nina keek naar de twee kleine jongetjes. 'Ze zijn schattig. En zo te zien niet zo heel veel te vroeg geboren.'

'Nee, drie weken maar. Dat schijnt nogal een prestatie te zijn met een tweeling. Ik was dan ook net een kamerolifantje op het laatst. Maar als ik hoor welke complicaties er allemaal kunnen ontstaan door een vroeggeboorte, dan had ik het er graag voor over.'

'Ze zien er gezond uit.'

'Heb je veel ervaring met zulke jonge baby's?'

'Ja, in mijn vorige gezin was de jongste nog geen week oud toen ik daar kwam. En in het gezin daarvoor werd de jongste geboren terwijl ik er was. Het is wel prettig om er vanaf het begin bij te zijn.'

'Dat was hier misschien ook handiger geweest. Maar ja, we dachten toen nog dat Jennifer ons zou komen helpen. Jennifer is toch een vriendin van jou?'

'Niet echt een vriendin, meer een kennis. Ik heb bij haar in de klas gezeten. Ik weet dat ze mij aanbevolen heeft, maar eigenlijk weet ik niet eens waarom zij niet hierheen gegaan is.'

'Ze bleef liever thuis om voor haar zieke oma te zorgen. En om bij haar vriendje te zijn, denk ik. Die was nog niet in beeld toen we die afspraak maakten... Ergens kan ik me wel voorstellen dat ze het niet echt meer zag zitten om voor minstens een jaar zo ver weg te gaan, maar voor ons was het wel even slikken. Nou ja, gelukkig kon jij op korte termijn komen. Ik begreep dat je bij je vorige werkgever zelf weggegaan bent? Was daar een reden voor?'

Nina voelde dat ze bloosde. Ze had aan iedereen dezelfde reden opgegeven, maar het bleef lastig om erover te liegen. Toch zei ze kalm: 'Ik vond de omgeving daar niet erg prettig en ik kon niet goed tegen de warmte.'

'Daar zul je hier geen last van hebben.' Renske, die net op tijd binnen kwam lopen om die laatste woorden te horen, zette een dienblad met een beker koffie en twee theeglazen op de salontafel en maakte een dramatisch gebaar naar de oer-Hollandse regen die tegen de ruiten sloeg. 'Ik kan me echt niet voorstellen dat je dit prettiger vindt dan het zonnige weer in Florida.'

'Smaken verschillen nu eenmaal.' Sofie keek nog eens naar haar slapende zoons en liep terug naar de bank. 'Ga zitten. Ik heb het gevoel dat ik er niet veel van bak.'

Nina keek haar verschrikt aan. 'Waarvan?'

'Je bent waarschijnlijk gewend aan werkgeefsters die precies weten wat ze moeten zeggen en doen als je daar voor het eerst bent. Ik sta maar een beetje uit mijn nek te kletsen.'

Wat moest ze daar nu op zeggen? Ze kon het moeilijk bevestigen, maar het was wel een beetje zo. Nina had zich al staan af vragen wanneer Sofie nu eens ter zake zou komen.

'U bent in ieder geval wel anders dan zij. Maar...'

'Oh, zeg alsjeblieft geen u tegen me.' Sofie keek haar aan. Haar groene ogen werden donker. 'Ik zal eerlijk tegen je zijn. Ik vind het vreselijk om vreemden in huis te hebben. Ik heb met veel moeite geleerd te accepteren dat ik mijn zogenaamde roem moet betalen met een gebrek aan privacy, maar in mijn eigen huis wil ik me veilig voelen. Ik wil je beschouwen als een lid van de familie, niet als personeel. Ik wil je dus graag leren kennen en daarom wil ik eerst een uurtje met je kletsen. Dat is vast niet zoals het hoort.'

Nina glimlachte. 'Niet echt nee. Normaal gesproken duurt een kennismaking met de ouders maar een paar minuten en daarna krijg ik meestal instructies van de vorige verzorgster van de kinderen.'

'Dat ben ik dus.' Renske lachte. 'Maar ik ben ook familie, dus dan klopt het weer. Ik denk trouwens dat er bij dat soort instructies ook flink over de werkgevers geroddeld wordt.'

'Het gebeurt inderdaad wel. Ik vond het altijd maar raar en hypocriet, dus ik deed er niet aan mee. Maar ernaar luisteren moet je soms wel. De huishoudster van mijn vorige gezin roddelde heel erg. Tegen de familie was ze bijna overdreven beleefd en onderdanig, maar wat ze in de keuken over ze beweerde was echt gemeen en lang niet altijd waar. Het probleem lag trouwens wel aan twee kanten. De familie keek op ons neer en dat lieten ze ook duidelijk merken.'

'Het klinkt mij allemaal erg vooroorlogs in de oren. Zoiets lees je alleen in boeken.'

'Voor mij is het realiteit.'

Sofie schudde haar hoofd. 'Nu niet meer. Hier is het anders.'

Dat hadden wel meer mensen beweerd. Maar uiteindelijk bleken geld en macht toch wel degelijk belangrijker te zijn dan gevoelens. Maar Nina zei niets. Ze keek Sofie afwachtend aan.

Die zuchtte. 'Je gelooft me niet. Wil je vertellen wat je overkomen is?'

Nina schudde haar hoofd. 'Er valt niets te vertellen.' Ze had al veel te veel gezegd. Normaal gesproken was ze niet zo openhartig. Wat was dat met deze mensen waardoor ze vergat hoe ze zich moest gedragen? Ze wist toch dat ze uiteindelijk weer op haar plaats gezet zou worden?

Sofie glimlachte. 'Ik zal niet aandringen en proberen me een beetje zakelijk op te stellen. Zijn er nog dingen die je van mij wilt weten?'

'Het lijkt me handig als ik weet hoe laat de baby's gevoed moeten worden.'

'Dat doe ik zelf.'

'Maar dan moeten ze nog wel verschoond worden. En hoe laat moeten ze in bad?'

'Dat doe ik natuurlijk ook zelf. Tenzij ik bezig ben met opnames.'

Nina keek haar verbaasd aan. 'Misschien kunt u me beter uitleggen wat u precies van me verwacht.'

'Dat je me Sofie en je noemt.'

'Oh ja. Sorry. Dat moet nog even wennen. Maar ik bedoel met de baby's. Ik begrijp het niet helemaal. Uw... je zus...'

'Renske.'

'Renske zei dat ik er 's nachts niet uit hoef als ze huilen.'

'Nee, natuurlijk niet.'

'En nu zegt... zeg jij dat ik ze niet voor elke voeding hoef te verzorgen. Hoeveel werk blijft er dan nog over?' Was dit een verkapte manier om haar huishoudelijk werk te laten doen? Het kwam wel vaker voor dat iemand ingehuurd werd als au pair, maar eigenlijk misbruikt werd als goedkope huishoudelijke hulp. Sofie leek haar niet het type dat zoiets zou doen, maar je wist maar nooit.

Sofie lachte vriendelijk. 'Wees maar niet bang, er is echt meer dan genoeg te doen. Vanaf volgende week heb ik twee maanden lang minstens drie keer per week opnames. Zolang ik nog borstvoeding geef, wil ik Gijs en Stijn meenemen naar de studio. Jij zult dan op ze moeten passen. Zwaar werk is het niet, maar ik hoop dat je van lezen houdt. Het zal wel vrij saai zijn om daar te wachten.'

'Lezen? Nee, niet echt. Maar ik hou wel van handwerken, dus ik zal me niet snel vervelen.'

'Wat leuk! Wat doe je?' Renske boog zich geïnteresseerd naar voren.

'Oh, niet veel bijzonders. Ik brei meestal. En af en toe doe ik wat borduurwerk, maar daar moet je goed licht bij hebben en dat is niet altijd mogelijk als je bij een paar slapende kinderen zit.'

'Ik wil wel eens zien wat je maakt. Misschien kun je wat accessoires voor me maken. Als alles goed gaat, heb ik over een tijdje een grote show.'

'Daar ben ik vast niet goed genoeg voor.'

'Of misschien ben je gewoon te bescheiden.' Sofie zweeg even, maar toen Nina niets meer zei vervolgde ze: 'Als we niet in de studio zijn, zal ik af en toe nog wat andere afspraken hebben, waar ik ze niet altijd mee naar toe kan nemen. In dat geval moet je dus thuis oppassen. En dan is Roos er nog. Renske probeert haar zoveel mogelijk zelf te halen en te brengen en Peter vangt ook nog wel eens wat op, maar het zal de komende tijd waarschijnlijk toch wel voor gaan komen dat jij ervoor opdraait.'

'Ik wil liever niet dat ze overblijft op school of naar een opvang gaat. Dat hebben we een tijdje geprobeerd en daar werd ze niet echt gelukkiger van,' vulde Renske aan.

'Dat is toch ook niet nodig zolang ik hier ben?'

Nina vond dat ze in verhouding vrij weinig hoefde te doen. Dan was het halen en brengen van zo'n kleutertje echt niet zo'n probleem.

'Heb je voorkeur wat betreft je vrije dagen? Wat ons betreft plannen we die het liefst in het weekend omdat Peter en Marco dan vrij zijn. Zij passen ook nog wel eens op. Maar als je liever doordeweeks een dag hebt, moet dat ook wel te regelen zijn.'

'Het weekend is goed. Ik heb niet zoveel vrije tijd nodig.'

'Natuurlijk wel, daar heb je recht op. Wat betreft je kamer... Als je meer ruimte nodig hebt, of liever een aparte zitkamer hebt, dan is dat ook te regelen, hoor. We hebben de ruimte. Ik had er eigenlijk gewoon niet bij stilgestaan dat één kamer wel wat weinig ruimte is...'

'Het is meer dan genoeg. Ik ben veel minder gewend.' Dat klonk alsof ze medelijden wilde. Snel vulde Nina aan: 'Ik ben echt heel bij met mijn kamer. Hij is prachtig en groot genoeg.'

'Dat scheelt. Maar mocht je toch merken dat het niet werkt, dan moet je het gewoon zeggen. Ik ben dol op kamers veranderen, dus ik help graag. Het is alleen zo jammer dat Marco niet zo dol is op schuiven met kasten.'

Renske knikte. 'Peter is er ook al geen fan van. En aan Diederik vraag ik dat soort dingen maar niet eens.'

Hoeveel mannen kwamen hier over de vloer? Nina had aangenomen dat alleen Sofies man hier woonde, maar wie waren Peter en Diederik?

Blijkbaar was de verwarring op haar gezicht te lezen, want Renske verduidelijkte: 'Peter is mijn verloofde. We wonen officieel niet samen, maar hij is hier vaak. Diederik is de vader van Roos. We hebben geen relatie, maar hij komt haar wel regelmatig bezoeken.'

'Oh.' Wat moest ze anders zeggen?

Renske lachte. 'Ingewikkeld, hè? Dat is het eigenlijk ook. Diederik en ik waren jeugdvrienden, maar meer dan dat is er niet tussen ons. Met Peter ga ik volgend jaar trouwen. Roos kan niet wachten. Die is geobsedeerd door bruiloften, dat zul je nog wel merken. Ze heeft alleen maar barbiepoppen met trouwjurken en die arme Ken moet om de beurt met allemaal trouwen.'

'Gisteren met allemaal tegelijk,' grinnikte Sofie. 'Ze vroeg aan mij of dat kon. Ik zei dat het toch leuker was als een man maar één vrouw had. Weet je wat ze toen zei?'

'Ik vrees het ergste.'

'Het viel mee. Ze zei dat Ken dan maar een bus moest kopen, want anders kon hij niet met allemaal gaan winkelen.'

'Waar haalt ze dat vandaan? Peter gaat nooit met ons winkelen. Oh, ik snap het al. Ze is met haar vriendinnetje en haar ouders mee geweest.'

'Klopt. En ik ben bang dat er daar toch iets gezegd is over getrouwd zijn. Je weet hoe mensen zijn.'

'Irritant.'

Nina had er het zwijgen toegedaan. Ze vond dat ze er niets mee te maken had, maar Sofie maakte haar voornemen om haar bij de familie te betrekken direct waar.

'Bereid je maar vast voor, Nina. Er zijn altijd mensen die het naadje van de kous willen weten. Vooral de combinatie van mijn bekendheid en het feit dat Renske zo'n jonge moeder is, blijft op de verbeelding werken.'

'Daar hebben ze niets mee te maken.'

'Helaas denken veel mensen daar anders over. We zijn er inmiddels wel aan gewend, maar leuk is anders. Zeker als ze het via Roos doen.'

'Weet zij hoe het precies zit?'

Renske schudde haar hoofd. 'Niet helemaal. Ze is dol op Peter. Diederik duldt ze alleen maar. Ik vind haar nog te jong om het uit te leggen. Maar ik merk wel dat ze steeds meer opvangt, dus misschien wordt het wel tijd om er binnenkort eens met haar over te praten. Ik vind het alleen zo lastig om het juiste moment daarvoor te vinden. Het liefst voordat vreemden haar van alles wijsmaken.'

Eén van de baby's begon te huilen en Sofie keek verschrikt op haar horloge.

'Is het alweer zo laat? Het is tijd voor de volgende voeding en ik moet ze eerst nog verschonen.'

Nina stond op. Werken ging haar beter af dan praten.

'Zal ik meelopen? Dan kan ik meteen zien waar alles ligt en hoe je dingen doet.'

'Goed idee. Neem jij Gijs, die is nog niet helemaal wakker. Dan neem ik deze jongeman. Mijn oren zijn al gewend aan dat gebrul.' Ze keek met een mengeling van afkeer en trots naar haar zoon. 'Wat een kracht heeft hij al in zijn stem, hè?'

Hoofdstuk 2

Sommige dingen waren overal hetzelfde, waar ter wereld en bij welk soort mensen je ook was. Babykamers kunnen op allerlei verschillende manieren ingericht zijn, maar uiteindelijk draaide het toch om dezelfde dingen. Verschonen, voeden, slapen. Nina hield van die rode draad in haar leven. Ze mocht zich dan vaak onhandig en ongewenst voelen bij volwassenen, maar zodra ze met kinderen te maken had, veranderde dat. Ze wist wat ze deed en ze wist dat ze het goed deed. Hoewel Sofie erop stond de kinderen zelf te verschonen, hielp Nina haar door de juiste dingen aan te geven en klaar te leggen. En toen Gijs besloot zijn broertje te volgen door ook te gaan brullen, wist ze hem te kalmeren door hem zachtjes te wiegen.

'Dat doe je goed. Ik kan zien dat je veel ervaring hebt.' Sofie lachte. 'Ik heb gelukkig Renske met Roos geholpen destijds, dus ik wist wel ongeveer hoe alles moest. Hoewel het met twee tegelijk toch wel even anders is. Als je met de één bezig bent, gaat de ander huilen. En andersom. Dat is soms best frustrerend.'

'Dat kan ik me voorstellen.'

'Gelukkig heb ik eigenlijk altijd hulp. Eerst Renske, en nu jij. En Marco helpt natuurlijk ook vaak. Hij draait de nachtdiensten.'

'Vindt hij dat niet vervelend?'

'Natuurlijk niet. Het zijn toch ook zijn kinderen? Hij zou het verschrikkelijk vinden als hij niet mocht helpen. Ben je dat niet gewend?'

'De vaders uit de gezinnen waar ik gewerkt heb, hadden drukke banen. Hun carrière ging voor. Die van de moeders trouwens ook.'

'Tja... ik kan wel leuk beweren dat het bij ons anders is, maar dat klopt natuurlijk niet. Onze carrières zijn toch wel de reden dat jij hier bent. Ik zou ook kunnen stoppen met werken en fulltime voor de kinderen kunnen gaan zorgen, maar dat wil ik niet. Ik vind mijn werk leuk. En voor Marco geldt hetzelfde. Maar we willen niet alle zorg afschuiven naar anderen. We wilden graag kinderen, dus het is niet meer dan logisch dat we zoveel mogelijk tijd voor hen vrijmaken. Voor Marco is het onmogelijk om korter te gaan werken en een zogenaamde 'papadag' in te plannen. Maar hij kan goed tegen weinig slaap, dus zijn de nachten voor hem. Ik denk wel eens dat hij het heel erg jammer zou vinden als ze straks doorslapen. Maar hij zei pas al heel hoopvol dat de meeste kinderen 's ochtends heel vroeg wakker zijn en dat hij dan gezellig met zijn zoons gaat ontbijten terwijl ik uitslaap. Dat deed hij trouwens met Roos ook regelmatig.'

Met het kind van zijn schoonzusje dus. Nina was wel gewend aan gezinnen waar meer familieleden woonden, maar ze vond de verhoudingen in dit huishouden wel heel erg ingewikkeld. Als ze het goed begreep was Marco dus zo'n goeierd dat hij direct na zijn huwelijk het zwangere tienerzusje van zijn vrouw in huis genomen had en daarnaast ook nog eens opdraaide voor een deel van de zorg voor de baby? Die man zat waarschijnlijk flink onder de plak bij de vrouwen hier in huis.

Toen de beide jongetjes schoon en gevoed in hun wiegjes lagen, bleef Nina aarzelend staan. 'Zal ik de kinderkamer opruimen? De bedjes verschonen?'

Sofie had zich weer op de bank genesteld en keek haar aan. 'Wat is er mis met de kinderkamer? Vond je het niet netjes genoeg?'

'Natuurlijk wel. Maar ik moet toch iets doen?'

'Vandaag niet. Je bent hier net. Ik zou het op prijs stellen als je de tijd nam om kennis te maken met de rest van de familie, maar zelfs dat is niet verplicht. Als je liever op je kamer zit, vind ik dat ook prima.'

'Nee, dat hoeft niet. Maar ik... ik kan best gewoon aan het werk gaan.'

'Voel je je niet op je gemak?'

'Nee. Ja, ik bedoel... Ik vind jou en Renske erg aardig, maar ik heb het gevoel dat ik niet doe waarvoor ik aangenomen ben.'

'Je doet precies waarvoor je aangenomen bent. Ik heb je al verteld dat ik eigenlijk geen vreemden in huis wil. Daarom is het voor mij extra belangrijk om je goed te leren kennen. Ik wil niet bemoeizuchtig overkomen, maar ik zou het fijn vinden als je wat meer over jezelf wilde vertellen. Kom, ga naast me zitten. Wil je nog meer thee? Ik wel.'

Sofie wees op de theepot, die Renske onder een gezellige bontgekleurde muts op de salontafel had laten staan.

'Ja, ik wil nog wel. Ik schenk het wel in.'

'Dan doe je tenminste iets nuttigs. Ik kan het je bijna horen denken.'

Nina schonk voorzichtig de beide theebekers vol. Ze zette de theepot terug, trok de muts erover heen en ging naast Sofie op de bank zitten.

Bedachtzaam knikte ze. 'Dat dacht ik inderdaad.'

'Begin ik je dus toch al een beetje te leren kennen. Dat vind ik fijn. Vertel eens iets over je jeugd. Heb je broers of zussen?

Renske en ik schelen twaalf jaar. Eigenlijk hebben we pas de laatste paar jaren een hechtere band gekregen.'

'Nee, ik ben enig kind. Mijn moeder is gestorven toen ik negen jaar was en mijn vader is een jaar later hertrouwd, maar hij en mijn stiefmoeder hebben daarna geen kinderen meer gekregen.'

Sofie aarzelde even. 'Ik hoop niet dat je me vervelend vindt en je hoeft niet te antwoorden, maar ik vraag me af waarom je ervoor gekozen hebt om als au pair te gaan werken. Je lijkt me niet het type dat het avontuur zoekt.'

'Ik wilde graag het huis uit. Ik deed een opleiding Kinderopvang, dus het lag voor de hand om het als au pair te proberen.'

Ze zag aan Sofie dat die begreep wat ze niet wilde uitspreken en gaf schouderophalend toe: 'Ik vond mijn vaders vrouw niet zo aardig en met mijn vader kon ik na hun huwelijk ook niet zo goed meer opschieten.'

'Hebben jullie nog contact?'

'Soms, via e-mail. Ik zal ze wel moeten opzoeken nu ik hier ben. Mijn vader is Nederlander en ze zijn terugverhuisd naar zijn geboortestad. Maar ik zie ertegenop.' Nina beet op haar lip. 'Dat had ik niet willen zeggen. Het klinkt zo onaardig.'

Sofie legde haar hand op die van Nina. 'Dat geeft niet. Ik begrijp meer van dat soort dingen dan jij denkt.'

Ze werd onderbroken door de bel en keek op de klok. 'Is het al zo laat? Dat zijn Roos en Diederik. Eens in de week haalt hij haar van school en gaat met haar naar de bibliotheek.'

De huiskamerdeur vloog open en een blond meisje rende naar binnen.

'Tante Sofie, we hebben hele mooie boeken gevonden. Diederik kan zóoo goed boeken zoeken.'

Ze draaide zich om. 'De mooiste zit in mijn tas. Wil jij hem pakken?'

Sofie trok de rits van het roze rugzakje open en haalde er een prentenboek uit. 'Is dit de mooiste?'

'Dat zijn haar woorden.' Een magere jongeman liep de kamer binnen. Hij leek zich niet helemaal op zijn gemak te voelen, bedacht Nina. Of projecteerde ze haar eigen gevoelens op hem? Hij keek haar aan en ze voelde haar hart een slag overslaan. Die grijze ogen leken dwars door haar heen te kijken.

Sofie stond op. 'Diederik, dit is Nina, onze au pair.'

Diederik liep naar hen toe en stak zijn hand uit. 'Prettig kennis te maken. Ik ben Diederik de Lange.'

Hij aarzelde, maar Sofie zei: 'Ik heb haar al ingelicht.'

'Oh. Dat is wel zo gemakkelijk.'

Hij drukte de hand die Nina in de zijne legde en liet hem toen snel weer los. Nina vroeg zich af of hij ook voelde wat zij gevoeld had. Was dit wat ze bedoelden met liefde op het eerste gezicht? Hoe kon je nu zo van slag zijn als je iemand nog helemaal niet kende? Dat bestond toch alleen in boeken?

Ze kreeg geen tijd om er over na te denken, want Sofie had zich naar Roos toe gebogen.

'Ik vind het een prachtig boek, Roos. Ik zal straks een stukje met je lezen. Maar eerst wil ik dat je iemand gedag zegt. Dit is Nina. Zij gaat me helpen om voor Gijs en Stijn te zorgen. En af en toe zal ze jou ook naar school brengen of je ophalen.'

Het kleine meisje nam Nina nieuwsgierig van top tot teen op. 'Kun jij ook boekjes lezen? Dat vind ik leuk.'

'Ik ook.'

'En spelletjes? Mama kan heel goed memory doen, maar ik win toch meestal.'

'Ik vind het wel leuk, maar ik verlies altijd.'

'Geeft niets, hoor. Het is maar een spelletje.'

Nina lachte. 'Precies.'

'Weet jij al wie Gijs is en wie Stijn? Ik wel. Gijs ligt in de groene wieg en Stijn in de blauwe.'

'Dat heb jij goed onthouden. Heel slim.'

Roos keek haar bezorgd aan. 'Maar als ze niet in de wieg liggen, weet ik het niet. Dan raken ze door elkaar.'

'Daar hoef je niet bang voor te zijn, hoor. Ik denk dat ik het ook weet zonder de wiegjes.'

Sofie trok vragend haar wenkbrauwen op. 'Echt waar?'

'Ze zijn niet helemaal identiek. Gijs heeft een puntiger kinnetje dan Stijn.'

'Wat goed van je. Dat klopt. Ik denk dat Stijn op Marco lijkt en Gijs meer op mij. De meeste mensen kijken niet zo goed. Hoe vaak ik al gehoord heb dat ze precies gelijk zijn...'

'Dat willen mensen graag, denk ik. Maar volgens mij kan dat helemaal niet.'

'Theoretisch bestaan er wel degelijk identieke tweelingen.' Diederiks stem klonk nogal belerend.

Nina voelde haar wangen rood kleuren, maar antwoordde: 'In de praktijk heb ik er nog geen een gezien. Er zijn altijd wel kleine verschillen. En zelfs als ze uiterlijk hetzelfde zijn, kan een verschil in karakter toch nog zichtbaar zijn. Ik had vroeger twee buurmeisjes die echt sprekend op elkaar leken, maar de één was heel open en de ander heel verlegen. Dat kon je duidelijk zien en daarom wist ik wie wie was.'

'Maar dan waren ze dus wel identiek. Dat gaat om het uiterlijk, niet over het karakter.'

Nina was het daar niet mee eens, maar ze wist niet goed hoe ze het onder woorden moest brengen. Diederiks gedecideerde manier van uitdrukken bracht haar van de wijs. Dus deed ze er het zwijgen toe. Gelukkig vond Roos het tijd worden om de aandacht van haar vader te trekken.

'Waar zijn mijn boeken? Ik heb een boek over tweelingen. Die zijn niet hetzelfde, want het zijn een jongen en een meisje. Of kunnen die ook hetzelfde zijn, Nina?'

'Nee, dat kan niet. Ze kunnen wel een beetje op elkaar lijken, zoals broertjes en zusjes dat wel vaker doen.'

'Jij weet heel veel van kindjes, hè? Daarom kun jij voor Gijs en Stijn zorgen. Diederik weet ook heel veel. Hij is een dokter.'

'Nog niet.' Diederik haalde zijn schouders op. 'Ik ben nog niet klaar met mijn studie.'

'Hoe ver ben je?'

'Ik ben van richting veranderd, dus ik moet een extra coschap lopen.'

'Welke richting doe je?'

'Oncologie.'

'Dat lijkt me een moeilijke afdeling om voor te werken. Mijn moeder is overleden aan kanker.'

'De mijne ook.' Zag ze iets van medeleven op zijn gezicht? Hij ging er echter niet verder op in en vervolgde: 'Ik wil dan ook niet in een kliniek en met patiënten werken. Ik wil onderzoek doen.'

'Het medicijn tegen kanker vinden?'

'Dat is een beetje erg idealistisch gesteld. Maar hoe meer we weten over een ziekte, hoe meer we er aan kunnen doen.'

'Dat komt toch op hetzelfde neer?'

Hij haalde zijn schouders op. Sofie vergoelijkte: 'Ik denk dat Diederik bedoelt dat hét medicijn tegen kanker waarschijnlijk niet bestaat.'

Diederik knikte. 'Dat is een vrij kinderlijke aanname.'

Sofie stond op. 'Wil je koffie, Diederik?'

Hij knikte. 'Altijd.'

Nina beet op haar lip. Hij vond haar kinderlijk en dom. Dat was duidelijk. Ze was het weer niet met hem eens, maar een discussie zou ze toch verliezen. Ze was nu eenmaal niet zo'n prater. Hoe kon ze zonder kinderlijk over te komen uitleggen dat zij vond dat je best hoog mocht inzetten om iets te bereiken? Hét medicijn bestond misschien niet, maar als je er niet naar zocht zou je ook geen andere oplossingen vinden. Zou hij het begrijpen als ze het zo uitdrukte? Maar het gesprek was alweer voorbij. Roos had de zware tas met de andere boeken die ze geleend had naar binnengesleept en was ze één voor één aan het bespreken.

'Deze gaat over een hondje. En deze over poesjes. Diederik wil geen dierendokter worden, wist je dat, Nina? Ik vind dat wel jammer. Misschien word ik later wel dierendokter.'

'Dat is een goed plan.'

'Maar dan moet ik eerst heel lang naar school, zegt Diederik.'

'Dat klopt.'

'En ik moet heel goed mijn best doen.'

'Dat klopt ook.'

'Maar ik wil ook trouwen. Wil jij ook trouwen? Met wie dan?'

Nina keek Roos verbaasd aan. Wat moest ze hier nu weer mee? Ze herinnerde zich dat Renske al had gezegd dat Roos geobsedeerd was door bruiloften. Diederik deed alsof hij verdiept was in één van de prentenboekjes van zijn dochter, maar ze kon aan zijn houding zien dat hij meeluisterde.

'Ik ga niet trouwen. Voorlopig niet.'

'Waarom niet?'

'Omdat ik geen vriendje heb.'

'Ik wel. Pepijn is mijn vriendje. Als ik groot ben ga ik met hem trouwen. En Peter is mama's vriendje. Ze gaan over een tijdje trouwen. Oom Marco is het vriendje van tante Sofie. Die zijn al heel lang getrouwd. Alleen Diederik is nog niet getrouwd. Misschien wil hij jouw vriendje zijn.'

Nina keek naar Diederik, maar die boog zich alleen nog maar dieper over het boek in zijn handen. Waarom zei hij niets? Het was zijn dochter. Zou het niet normaler zijn als hij Roos met een grapje van het onderwerp afleidde? Maar dat was hij duidelijk niet van plan. Was dit bedoeld om haar te plagen? Maar dan zou hij haar toch aankijken en lachen of zoiets? Of zag ze dat weer verkeerd? Ze wist dat ze soms moeite had met dit soort situaties. Op de een of andere manier vatte ze dingen vaak veel te letterlijk op. Maar in dit geval was het toch anders? Lag het aan haar of lag het aan hem? Ze besefte dat ze er toch niet uit zou komen, dus glimlachte ze en zei luchtig: 'Misschien wel. Maar voorlopig heb ik het te druk voor een vriendje. Ik moet voor de baby's zorgen en voor jou.'

'Dat doet mama toch ook? En mama gaat wel trouwen.'

'Ik kan niet zoveel tegelijk als jouw mama, denk ik.'

Nu keek Diederik wel op, maar hij zei nog steeds niets. Nina slikte een zucht in. Waarom hielp hij nou niet even? Maar dat was blijkbaar te veel gevraagd. Toch voelde ze haar wangen nog roder worden toen zijn blik de hare ving. Er was iets in zijn ogen dat haar een onrustig gevoel gaf.

Gelukkig was Roos alweer afgeleid. Ze trok het laatste boek uit de tas. 'Kijk, deze gaat over een prinses. Kun je die voorlezen?'

Nina pakte het boek aan en bladerde het door. Het was geen prentenboek maar een boek met voorleesverhaaltjes.

'Dat zijn wel heel lange verhaaltjes om nu even voor te lezen, Roos.'

Het meisje keek haar teleurgesteld aan, maar gelukkig kwam juist op dat moment Sofie binnenlopen met koffie voor Diederik.

'Ik ben er maar vanuit gegaan dat je net zo'n theeleut bent als ik, Nina, dus ik heb voor jou ook nog een beker meegebracht. En voor Roos heb ik limonade.'

'En een koekje?'

'We gaan over een uurtje eten.'

'Een klein koekje dan? Ik heb vanmiddag nog geen koekje gehad. Diederik was het vergeten.'

Ze keek haar vader verwijtend aan, maar Diederik haalde zijn schouders op.

'Zo belangrijk is dat toch niet?'

Hij was niet echt een gezellige vader. Nina was op dat gebied wel wat gewend, maar het contrast werd wel erg groot toen Peter binnenkwam. Roos rende meteen naar hem toe en hij tilde haar met een zwaai op. Ze sloeg haar armpjes om zijn nek en zei tevreden: 'Jij bent lekker vroeg.'

Peter lachte. 'Dat klopt. Ik mocht eerder naar huis van de baas.'

'Diederik en ik hebben boekjes gezocht. En Nina gaat voor Gijs en Stijn zorgen. Zij kan het verschil zien, is dat niet knap? En straks gaat ze voorlezen uit het boek over de prinses.'

Peter draaide zich om.

'Jij moet Nina zijn.' Hij wilde zijn hand uitsteken, maar dat werd belemmerd door Roos, die nog steeds om zijn nek hing. 'Leuk om kennis met je te maken. Wacht even, ik zet deze dame even aan de kant, dan kan ik je normaal begroeten.'

'Nee, eerst omdraaien!'

'Dat is niet beleefd, Roosje.'

Nina lachte. 'Ik kan wel even wachten, hoor.'

'Goed dan. Daar ga je, Roos!'

'Omdraaien' bleek een wild spelletje te zijn, waarbij Peter Roos aan haar voeten vasthield. Nina vond het er gevaarlijk uit zien, maar Peter leek alles onder controle te hebben. Hij zwaaide de kleuter een paar keer heen en weer en legde haar toen voorzichtig op de grond.

'Nu kietelen!'

Peter schudde zijn hoofd. 'Ik ga eerst Nina netjes een hand geven.'

'Is dat netjes? Dat heb ik ook niet gedaan.'

'Dan moet je dat misschien ook nog doen. Kijk zo.' Hij schudde Nina de hand. 'Leuk kennis met je te maken.'

Roos stak ook haar handje uit en herhaalde zijn woorden. Nina glimlachte. 'Ik vind het ook leuk om kennis met jullie te maken.'

'Heeft Diederik ook netjes een handje gegeven?'

Nina bloosde bij de herinnering aan wat ze gevoeld had bij die aanraking en knikte zwijgend. Ze zag dat Peter haar onderzoekend aankeek, maar gelukkig zei hij niets. Om zichzelf een houding te geven, nam ze snel een slok van haar thee.

Renske kwam de kamer binnen. 'Ik heb een enorme schaal lasagne in de oven gezet. Het wordt heerlijk! Oh, Peter, ben je er al. Wat fijn!'

Ze begroette haar verloofde met een intieme kus die niet onbeantwoord bleef.

Diederik dronk haastig zijn kopje leeg en stond op. 'Ik ga maar weer.'

Sofie keek hem aan. 'Blijf je niet eten? Je hoorde het, er is genoeg.'

Hij haalde zijn schouders op. 'Ik heb nog een afspraak.'

'Oh, jammer. Volgende keer beter. Roos, zeg netjes dag tegen Diederik.'

Roos was alweer druk bezig haar boeken aan Peter en Renske te laten zien en ze keek nauwelijks op. 'Dag.'

Diederik aarzelde even, maar liep toen met een korte groet de kamer uit.

Had niemand gezien hoe droevig en eenzaam hij keek? Nina geloofde niet dat hij een afspraak had. Hij voelde zich gewoon te veel en ging daarom maar weg. Roos negeerde hem ook min of meer. Natuurlijk was voor zo'n kleintje de vrolijke Peter een veel leukere gesprekspartner dan de stugge Diederik, maar niet iedereen was nu eenmaal hetzelfde. Hij deed toch zijn best? Roos had het in ieder geval geen straf gevonden om met hem naar de bibliotheek te gaan. Ze was vrij enthousiast geweest toen ze terug kwam. Pas toen Peter binnenkwam, was ze alle aandacht voor

Diederik kwijt. Dat was dus dubbel vervelend voor Diederik, want Peter had dus niet alleen Renskes hart veroverd, maar ook dat van Roos.

Niet dat ze daarover kon oordelen natuurlijk, wie weet wat er gebeurd was om het zover te laten komen. Maar toch kon het niet alleen aan Diederik liggen. Of wel? Echt vriendelijk was hij natuurlijk niet. Hij kon niet weten hoe veel moeite het haar had gekost een gesprek met hem te beginnen, maar hij had haar min of meer afgesnauwd en dat was ook niet nodig geweest. Maar... Ze schudde geïrriteerd haar hoofd. Ze had zich op het eerste gezicht tot hem aangetrokken gevoeld. Dat kon. Zoiets gebeurde gewoon. Normaal gesproken was ze niet zo licht ontvlambaar, maar het was vast allemaal te verklaren. Niets bijzonders, geen liefde op het eerste gezicht of zoiets dromerigs, maar simpelweg een reactie op de roerige tijd die achter haar lag. Ze moest gewoon haar verstand erbij houden en Diederik uit haar gedachten zetten. Mannen maakten altijd alles ingewikkeld. Gelukkig hoefde ze voor Marco niet bang te zijn.

Zodra hij binnenkwam, zag Nina al dat ze hem verkeerd ingeschat had. De man van Sofie was alles behalve een doetje. Marco was knap en vriendelijk, maar hield overduidelijk heel goed in de gaten wat er om hem heen gebeurde. Hij begroette Nina enthousiast: 'Fijn dat je er bent. Sofie en Renske kunnen wel wat hulp gebruiken.'

Nina trok een cynisch gezicht. Ze had al een paar keer aangeboden te helpen met koken, tafeldekken of opruimen, maar kreeg steeds te horen dat het niet nodig was. Marco snapte blijkbaar direct wat er aan de hand was, want hij zei lachend: 'Ze laten je vandaag nog niets doen, zeker?'

'Nee. Ik heb het al een paar keer aangeboden, maar...'

'Je bent er ook nog maar net. Het went wel. Voor ons allemaal. Het is voor Sofie vooral belangrijk dat er iemand bij de kinderen is die ze volledig kan vertrouwen. Op alle gebieden.'

Uit een van de reiswiegjes klonk gehuil. Sofie en Renske waren in de keuken bezig.

Marco zei: 'Grijp je kans, zou ik zeggen. Hoewel... ik wil eigenlijk zelf mijn zoons ook wel begroeten.'

'Het is bijna weer tijd voor hun voeding, denk ik. Zal ik ze alvast verschonen?'

'Goed idee. Neem jij Stijn maar vast mee. Dan gaan Gijs en ik Sofie waarschuwen.'

Nina knikte, blij dat hij haar de kans gaf zelf iets te regelen. Hij ging er zelfs vanuit dat ze de kinderkamer wist te vinden. Dat was een prettig gevoel.

Met de baby op haar arm liep ze naar boven. Het huilende jongetje in haar armen ging steeds harder brullen. Ze glimlachte. 'Heb je zo'n honger, kleintje? Ja, dat kan ook best. Het is tijd.'

Voorzichtig legde ze hem op de commode. 'Eerst een schone broek. Je mama komt er zo aan en dan krijg je eten. Niet zo schreeuwen, manneke. Het kan niet sneller.'

Ze bleef tegen hem praten tot ze klaar was. Ze keek om en zag dat Sofie achter haar stond.

'Niet schrikken. Ik hoorde je zo gezellig babbelen en ik wilde je niet storen.'

Nina lachte. 'Ik schrok niet, ik verwachtte je al. Zal ik Gijs verschonen? Dan kun jij Stijn alvast voeden.'

'Prima.' Sofie ging in de schommelstoel zitten. Terwijl haar ene zoon gretig dronk, keek ze hoe Nina haar andere zoon verschoonde. 'Ik wilde eigenlijk niet dat je vanavond al werkte, maar je lijkt het wel prettiger te vinden. Daarnet leek je zo onzeker en verloren, maar nu straal je rust en zelfvertrouwen uit.'

Nina dacht heel even na voor ze antwoordde, maar zei toen, zorgvuldig formulerend: 'Ik vind het soms lastig om met volwassenen om te gaan, zeker als het erg druk is om me heen. Maar ik weet dat ik goed ben in mijn werk. Als ik daarmee bezig ben, vergeet ik die andere onzekerheid.'

'Je bent wat dat betreft ook wel in een raar gezin terechtgekomen. Ben je niet te erg geschrokken van Diederik? Hij kan soms wel erg vervelend overkomen, maar hij bedoelt het allemaal niet zo. Denk ik.'

'Ik vond het wel meevallen.' Ze aarzelde even. 'Hij kwam op mij vooral erg eenzaam over.'

'Dat is hij ook, maar dat heeft hij grotendeels aan zichzelf te danken. Hij stoot mensen af door zijn botte manier van reageren.'

'Jammer.'

'Zeker. Hij blijft toch de vader van Roos, dus ik beschouw hem als familie. Maar hij voelt zich nog altijd ongemakkelijk als Peter erbij is.'

'Daar kan ik me wel iets bij voorstellen, eigenlijk.'

'Het is anders dan jij denkt. Diederik en Renske hadden geen contact meer toen Roos geboren werd. Roos kent Peter al haar hele leven. Ze beschouwt hem als een soort vader, samen met Marco. Diederik kwam pas een halfjaar geleden weer in Renskes leven terug, toen het tussen haar en Peter uit was. Dat was geen gemakkelijke periode, voor geen van allen. We zijn allemaal blij dat Peter weer terug is. Nou ja, behalve Diederik dan.'

Nina ging in de andere schommelstoel zitten met Gijs, die nu toch ook begon te zeuren in haar armen.

'Ik heb medelijden met hem.'

'Met Diederik? Als ik er over nadenk, heb ik dat eigenlijk ook wel. Maar het blijft lastig om echt met hem mee te voelen. Ik kan geen hoogte van hem krijgen. Hij praat nooit eens gezellig mee en hoe vaak ik het ook vraag, hij blijft nooit langer dan nodig is. Eén kopje koffie, meer niet. Ik vraag altijd of hij blijft eten, maar hij verzint steeds een andere smoes.'

'Roos had het volgens mij wel naar haar zin gehad in de bibliotheek.'

'Ja, ik denk dat hij, op zijn eigen stugge manier, best leuk met haar om kan gaan. Die bibliotheek was een ideetje van Marco. Roos is een echte boekenwurm en een wekelijks bezoekje aan de bieb leek hem een ideale manier om Diederik bij haar leven te betrekken. Hij is tenslotte zelf ook zo'n studiehoofd.'

'Wat slim.'

'Ja, het werkt ook echt. Sinds we met die wekelijkse bezoekjes begonnen zijn, is Roos niet bang meer voor hem. En ze noemt hem netjes bij zijn naam.' Sofie grinnikte. 'Ik heb nooit geweten of ze hem expres 'die Rik' noemde. In het begin was het een verspreking, maar ze is heel bijdehand. Volgens mij had ze na een tijdje echt wel door dat hij het niet leuk vond om zo genoemd te worden.'

'Dat kan ik me ook wel voorstellen. Ze is toch zijn dochter.'

'Het was zijn eigen keuze om haar eerst vier jaar lang te negeren.

Maar dat proberen we hem te vergeven.'

Nina had nog wel meer willen weten, maar Sofie veranderde handig van onderwerp door haar te vragen naar haar ervaring met tweelingen.

'Ik weet dat het mogelijk moet zijn om ze tegelijk te voeden en dat zou vooral straks heel veel tijd kunnen besparen, maar ik heb geen idee hoe ik dat moet doen.'

'Ik ken iemand die het deed. Zij gebruikte kussens om de kindjes te ondersteunen. Je kunt ook liggend voeden. Maar het is wel ingewikkeld, vooral met hele kleintjes. Als hun nekjes wat steviger worden is het al gemakkelijker.'

'De kraamhulp adviseerde afwisselend de één de borst en de ander de fles te geven, zodat iemand anders kan helpen met voeden.'

'Dat kan ook, maar ik heb wel eens gehoord dat sommige kindjes dan de borst niet meer willen. De fles drinkt gemakkelijker en poedermelk is zoeter.'

'Dat zou ook jammer zijn. Ik wil het toch wel graag een tijdje volhouden.'

'Heeft de kraamhulp niet laten zien hoe je ze samen de borst kunt geven?'

'Nee, dat vond ik zelf ook nogal raar. Normaal gesproken word je toch juist gestimuleerd om borstvoeding te geven? Maar ze ging er vanuit dat ik dat niet zou doen.'

'Misschien omdat je fotomodel en actrice bent? Het is lastig te combineren.'

'Ze had op zijn minst kunnen vragen hoe ik dat wilde gaan doen, toch?' Sofie zuchtte. 'Ik heb er zo'n hekel aan als mensen vooroordelen hebben. De roddelbladen zijn ook weer erg geïnteresseerd in mij en mijn gezin. Dat blijft een zwak punt van me. Ik probeer ermee te leven, ik geef ze geen kans om van alles te verzinnen door mijn fans op de hoogte te houden via mijn blog, maar toch blijft het me storen.'

'Het is ook vervelend.' Nina wist niet zo goed wat ze hier verder op moest zeggen. Ook haar vorige werkgevers hadden last gehad van de pers, maar die waren er vanuit gegaan dat alle publiciteit goede publiciteit was. Ze hadden er zelfs geen problemen mee gehad als de kinderen achtervolgd werden door fotografen. Hier was dat duidelijk anders.

Sofie hield Stijn rechtop voor een boertje en glimlachte. 'Ik zeur. Sorry. Ik heb jaren geleden moeten leren dat het er nu eenmaal bij hoort. Ik ben een tijdje ondergedoken omdat ik zo'n moeite had met de pers, maar dat werkte helemaal niet. Ik hou van mijn werk en over het algemeen neem ik de publiciteit er gewoon bij.'

'Je voelt je kwetsbaarder nu de kinderen er zijn.'

'Ja! Dat is het. Wat goed dat jij dat meteen snapt. Weet je, het is mijn eigen keuze. En Marco wist ook waar hij aan begon toen hij voor mij koos. Maar Stijn en Gijs worden er gewoon mee geconfronteerd. Dat zit me dwars. Meer dan ik dacht, trouwens.'

'Kinderen zijn flexibel. Ze weten straks niet anders.'

'Dat is ook wel zo. Ik ken iemand die er ook mee opgegroeid is en die gaat er heel ontspannen mee om.' Sofie slaakte een diepe zucht. 'Wat een sufferd ben ik. Ik zat me er zo over op te winden, dat ik bijna weer dezelfde fouten zou gaan maken. Ik heb er serieus over gedacht om gewoon te stoppen met werken, de serie af te zeggen en geen opdrachten meer aan te nemen.'

'Dat zou niet helpen. Je zou weer onder moeten duiken. En dat lijkt me knap lastig.'

'Bijna onmogelijk zelfs. Nee, dat was gewoon stom.' Ze lachte. 'Het is wel duidelijk dat jij goed in ons gezin past. De eerste de beste avond stort ik mijn hart al bij je uit. Zelfs Marco wist niet dat ik hierover piekerde.'

Nina herinnerde zich wat Marco tegen haar gezegd had en zei: 'Ik denk dat hij het wel weet.'

'Je hebt gelijk. Jij ziet een hoop. En je begrijpt nog meer.'

Was dat maar waar. Nina hoopte maar dat Sofie niet al te teleurgesteld zou zijn als ze erachter kwam dat haar au pair helemaal zo slim niet was. Misschien moest ze dat meteen maar uitleggen? Nu zou het juiste moment zijn. Maar ze kon de woorden niet vinden en de gelegenheid verdween toen Marco binnenkwam om te zeggen dat het eten op tafel stond. En dat was eigenlijk maar goed ook.

Hoofdstuk 3

'Ik durf het bijna niet te vragen.' Renske legde haar vork neer en keek Nina verontschuldigend aan. 'Je bent er tenslotte nog maar een paar uur. Maar zou jij Roos morgen van school kunnen halen? Ik werd net gebeld door een potentiële afnemer van mijn ontwerpen. Hij wilde zo snel mogelijk een afspraak maken, maar hij kon alleen op een heel onhandige tijd. Ze heeft morgen maar een ochtendje school, dus je hoeft maar één keer op en neer.'

'Geen probleem. Dat is toch gewoon mijn werk?'

'Ja, eigenlijk wel. Sorry. Het moet nog een beetje wennen.'

'Misschien is het handig als ik morgenochtend even met je mee ga als je haar wegbrengt. Dan weet ik waar ik moet zijn en kun je me voorstellen aan haar lerares, zodat die weet dat het klopt als ik haar meeneem.'

'Je hebt gelijk. Wat slim.'

Nina bloosde. Daar had je het weer. Het was wel leuk om te horen natuurlijk, maar ze wist niet wat ze erop moest zeggen. Ze zag dat Marco haar onderzoekend aankeek. Die zag ook alles, besefte ze. Dus haalde ze glimlachend haar schouders op en herhaalde: 'Dat is mijn werk.'

'Dit is mijn school.' Roos trok Nina mee het schoolplein op. 'En daar is mijn juf.'

Nina liet zich meetrekken en Renske liep grinnikend achter het tweetal aan. 'Ik had niet eens mee hoeven gaan. Roos regelt het zelf wel.'

'Juf, dit is Nina. Ze woont bij ons om voor de baby's te zorgen. En ze komt me straks ophalen.'

'Dat is leuk.' De vlotte jonge lerares glimlachte vriendelijk. 'Prettig kennis te maken. Ik ben Manon van Dam.'

'Nina Veldman.'

'Juf, mag ik Nina laten zien waar mijn tafel is? En de poppenhoek?'

'Als de bel gaat. Heel even geduld nog.'

Roos' gezicht betrok, maar Manon vulde aan: 'Laat Nina eerst maar eens zien waar we buitenspelen. Dat wil ze vast ook wel weten.'

Toen Nina omkeek, zag ze dat Renske nog even met Roos' lerares bleef praten. Ze keken haar richting uit, dus het zou wel over haar gaan. Hoe normaal was het in deze omgeving om een au pair in huis te hebben? Het huis van Marco en Sofie was groot, maar het lag niet in een villawijk. Roos ging naar een gewone openbare school, die duidelijk niet alleen door de rijkere bovenlaag van de samenleving bezocht werd. Dat was anders dan ze gewend was. De Amerikaanse kinderen die ze onder haar hoede had gehad, hadden allemaal dure particuliere scholen bezocht. Bijna geen enkel kind werd daar door de ouders weggebracht, iedereen had een au pair of een kindermeisje. Terwijl ze met Roos praatte over hoe moeilijk hinkelen was en opgelucht constateerde dat ze het niet voor kon doen, omdat een groepje oudere kinderen het hinkelhok in beslag nam, keek ze onopvallend naar de mensen die op en rond het schoolplein liepen. Ineens viel haar oog op een man met een camera. Hij had een grote telelens en richtte die op Roos. Instinctief ging ze voor het kind staan, met haar rug naar de camera toe.

'Kom, Roos, we gaan je moeder weer opzoeken.'

In de drukte die hoort bij de laatste minuten voor een school begint, was het onmogelijk de man in de gaten te houden, maar Nina hield Roos zoveel mogelijk uit het zicht van de mensen op de straat. Ze nam aan dat de fotograaf niet het lef had om het schoolplein op te komen.

Renske keek haar vragend aan. 'Is er iets?'

'Er staat een man met een camera op straat. Ik denk dat hij een foto van Roos probeert te maken.'

'Nee, hè? Alweer? Het is blijkbaar weer komkommertijd. Dan duiken ze ineens weer bij ons op. Is het hem gelukt, denk je?'

'Ik weet het niet. Ik ben in zijn beeld gaan staan, maar ik weet natuurlijk niet of hij toen al foto's gemaakt had.'

'Nou ja, we zien het wel weer. Ik vind het zelf niet zo'n probleem, maar ik had gehoopt dat Sofie nog even wat rust zou krijgen. Ze heeft er heel veel moeite mee.'

'Dat weet ik. We hebben het er gisteren al even over gehad.'

'Oh. Dat is snel. Meestal is Sofie niet zo open tegenover vreemden.'

De schoolbel begon te rinkelen en dat bespaarde Nina een antwoord. Samen met Renske en Roos liep ze naar binnen.

'Dit is mijn tafeltje en dit is mijn allerbeste vriendin. Ze heet Esmee. Mooie naam, hè? Ik wou dat ik zo'n mooie naam had.'

Roos wees stralend naar het meisje dat tegenover haar zat. De moeder van Esmee lachte. 'Wij vinden Roos juist erg mooi, hè Esmee?'

'Ik vind Nina ook een mooie naam. Dat is Nina. Ze woont bij ons en ze zorgt voor de baby's.'

Esmees moeder knikte vriendelijk, maar de moeder van een ander kindje dat aan dezelfde tafel zat, trok haar wenkbrauwen op. 'Een au pair?'

Nina knikte. 'Ik help Renske en Sofie met de kinderen als ze moeten werken.'

'Oh, juist. Ik lees Sophia's blog altijd en ze schreef juist dat ze zo veel mogelijk zelf voor de kinderen wilde zorgen. Vandaar dat ik er een beetje van opkijk dat ze een au pair aangenomen heeft.'

Tot Nina's opluchting had Renske het gesprek opgevangen. Ze voelde duidelijk waar de angel in die opmerking zat, maar had zoals gewoonlijk moeite een spits antwoord te verzinnen. Voor Renske was dat blijkbaar geen probleem.

'Zo veel mogelijk houdt in dat het niet altijd lukt. En voor die momenten hebben we Nina.'

'Niet bepaald een fulltime baan dus.'

'Met twee gezinnen, drie kinderen en twee moeders met carrières die nogal wat flexibiliteit vragen is er echt genoeg te doen.'

De vrouw haalde haar schouders op en zei toen tegen Nina: 'Pas maar op. Voor je het weet sta je de badkamer te boenen. Ik weet er alles van. Ik ben zelf au pair geweest.'

Ze liep weg voor Nina een antwoord kon formuleren. Renske schudde haar hoofd, maar zei niets, omdat Roos duidelijk mee zat te luisteren.

'Waarom is Tara's moeder boos op jou, Nina?'

'Ze is niet boos.'

'Dat denk ik wel, want ze zei dat je moet oppassen. Waarvoor moet je oppassen?'

Nina lachte geruststellend. 'Ik pas op jou. En op de tweeling.'

'Oh ja, dat is waar. Maar je hoeft toch niet de badkamer te boenen? Dat doet Maria. Die vindt dat leuk. Ze gaat altijd zingen als ze de badkamers boent.'

'Gelukkig maar.'

'Vind jij het leuk om op mij te passen?'

'Ja, heel leuk.'

'Ga je met mij met de Barbies spelen als we thuis zijn?'

'Ja, dat is goed.'

'Ze gaan trouwen. Ik heb een koets en wel honderd trouwjurken. Jij mag kiezen welke ze aandoet.'

'Dat vind ik leuk.'

Met die belofte nam Nina afscheid van Roos. Samen met Renske verliet ze het klaslokaal. Renske slaakte een diepe zucht. 'Je valt wel midden in onze problemen.'

'Welke problemen?'

'Ach, eigenlijk zijn het natuurlijk luxe problemen. Er zijn mensen die er wat voor zouden geven als hun enige probleem is dat er over ze geroddeld wordt. Maar het blijft vervelend. En ik vind het echt heel erg rot dat jij er meteen bij betrokken werd door die moeder van Tara. Dat soort bemoeienis van wildvreemden stoort me echt mateloos. Hoe durft ze te oordelen over de manier waarop wij onze kinderen verzorgen?'

'Daar heeft ze het recht niet toe. Maar helaas zullen er altijd mensen zijn die dat doen, juist omdat jullie publieke figuren zijn. Dat hoort er gewoon bij.'

Renske keek haar nieuwsgierig aan. 'Voor wie heb jij eigenlijk precies gewerkt?'

'Dat zeg ik liever niet.'

'Maar het is wel iets om over op te scheppen?'

Nina lachte. 'Dat zeg ik dus ook niet. En dat zou jou gerust moeten stellen.'

'Dat doet het ook.'

Toen ze naar buiten liepen, was het schoolplein leeg. De fotograaf was nergens meer te zien.

'Vertel hier maar even niets over tegen Sofie. Ze maakt zich al zo snel zorgen om dat soort dingen.' Renske zuchtte. 'Zoals ik al zei, het zijn luxe problemen. Maar leuk is het niet. En het zal straks wel weer erger worden, als de comedy voor het eerst op televisie komt.'

'Daar heeft ze zelf voor gekozen.'

'Ja, maar het blijft lastig.'

'Nina! Waar ben je?' Sofie liep de bijkeuken binnen. 'Oh, ben je hier? Ik was naar je op zoek.' Toen ze zag wat Nina aan het doen was, zei ze verschrikt: 'Dat hoef je niet te doen. Dat mag je zelfs niet doen van het au pair bureau.'

Nina zette de strijkbout voorzichtig aan de kant voor ze antwoord gaf. 'Wat niet weet, wat niet deert. Ik vind het niet erg. We worden altijd gewaarschuwd voor mensen die stiekem gewoon een werkster zoeken, maar dat is hier niet het geval. Ik vind het niet meer dan normaal dat ik een beetje meehelp, zeker nu Maria een paar dagen ziek is.'

'Maar daar ben je niet voor aangenomen.'

'Je wilde toch dat ik een deel van je gezin werd? Zou je Renske ook verbieden te strijken?'

'Dat is flauw. En ja, die wil ik dat soort dingen het liefst ook verbieden. Maar dat helpt niet.' Ze zuchtte. 'Eigenlijk ben ik wel blij dat je het doet. Ik had niet verwacht dat ik zoveel tijd nodig zou hebben om mijn teksten goed te leren. Blijkbaar heb ik toch nog een beetje last van zwangerschapsdementie. Trouwens, zou je me daar niet liever mee helpen? Als jij de andere rollen leest, kan ik oefenen...'

Nu kon ze er niet meer omheen. Ze zou het toch moeten vertellen. Of zou ze een smoes kunnen verzinnen? Twijfelend keek Nina Sofie aan, maar toen ze op het gezicht van haar werkgeefster niets anders zag dan verbazing om haar aarzelende reactie, zei ze schoorvoetend: 'Het spijt me. Dat kan ik niet.'

'Je hoeft niet te acteren of zo, hoor. Dat maakt niet uit. Het is alleen prettig voor me als de andere tekst voorgelezen wordt.'

'Dat kan ik dus niet.' Nina haalde diep adem en zei langzaam: 'Ik ben dyslectisch. Ik kan wel lezen, maar niet snel genoeg om je te helpen met dit soort dingen. Als ik het zonder voorbereiding moet lezen, ga ik hakkelen en dingen overslaan. Ik zou eerst zelf de tekst een paar keer goed moeten lezen en instuderen. Dat kost veel te veel tijd en daar schiet je dus niets mee op.'

'Wat gek dat ik daar nog niets van gemerkt heb. Ik heb je Roos toch horen voorlezen?'

'Alleen prentenboeken. Daarin zijn de teksten niet zo moeilijk en ik kan van alles verzinnen bij de plaatjes. Vertellen kan ik wel.'

'Dat kun je dan zelfs heel goed. Ik heb er toch een aantal keren bij gezeten en het was me niet opgevallen dat je moeite had met lezen. Maar dan begrijp ik wel waarom je dat andere boek van Roos steeds vermijdt.'

'Ja, die verhaaltjes zijn veel te lang. Ik kan dat wel opvangen, maar dan moet ik het eerst zelf lezen. En daar krijg ik de kans niet voor. Volgens mij slaapt ze ermee onder haar kussen.'

Nina vouwde het gestreken overhemd op en keek Sofie aarzelend aan. 'Het spijt me.'

'Wat?'

'Ik had moeten vertellen dat ik niet goed kan lezen.'

'Waarom? Je redt je toch prima? Voor jouw werk hoef je geen lange teksten te lezen. Trouwens, dyslexie is toch iets anders dan niet kunnen lezen?'

'Ja, eigenlijk wel. Ik weet wat de letters betekenen en ik weet hoe ze woorden vormen. Maar soms zie ik ze anders dan ze horen te zijn en dan lees ik dus niet wat er staat. Het is lastig uit te leggen.'

'Ik heb wel eens gehoord dat voor dyslectici de letters bewegen.'

Nina dacht even na. Was dat zo? 'Ik weet het niet. Ik weet niet hoe jij een tekst ziet, dus het is voor mij lastig te bepalen wat ik anders zie dan jij. Ik weet alleen dat ik niet altijd zie wat er precies staat. En het heeft niets met doorzetten, concentreren of oefenen te maken.'

Sofie glimlachte. 'Dat klinkt alsof je dat vaak te horen krijgt.'

'Ja, sorry. Het was niet mijn bedoeling om in de verdediging te schieten. Maar er zijn nog altijd mensen die denken dat het iets is waar je overheen kunt groeien. Was het maar waar. Je leert ermee omgaan, maar het gaat nooit over. Ik heb woordjes geoefend tot ik erbij neerviel...'

'En dat hielp helemaal niets?'

'Nee, vooral niet de rijtjes met woorden die allemaal op elkaar lijken. Daar raakte ik alleen maar van in de war.'

'Wat lastig. Ik kan het me amper voorstellen. Het is geen grote handicap, maar het beïnvloedt je leven wel, denk ik. Hoe heb je dat op school gedaan? Lezen voor je lijst valt voor jou vast ook niet mee.'

'Ik deed niet zo'n hoog niveau, dus ik hoefde niet veel te lezen.'

Nina richtte zich weer op haar strijkwerk. Haar handen trilden. Zou Sofie haar nu dom vinden? Te dom om voor haar kinderen te zorgen? Iedereen in dit gezin was erg slim. Met Diederik bovenaan natuurlijk. Zouden ze nu allemaal op haar neer gaan kijken, net als hij dat gedaan had? Maar Sofie reageerde amper op die mededeling. Ze knikte alleen maar en draaide zich om.

'Dan ga ik Renske maar lastigvallen met mijn script. Ze hoeft Roos niet op te halen vandaag, want het is Diederiks middag.'

Ook dat nog. Na die eerste kennismaking een week eerder, had Nina zich regelmatig afgevraagd waarom ze zo raar op Diederik gereageerd had. Liefde op het eerste gezicht? Je zou het bijna denken. Maar daar geloofde ze niet in. Meer dan lichamelijke aantrekkingskracht was het in zo'n geval niet. En dat was zelfs niet aannemelijk, want zo knap was Diederik helemaal niet. Hij was aan de magere kant, had een scherp gezicht en slordige krullen. Niet het type waar ze normaal gesproken op viel. Nou ja, die krullen misschien wel. Veel ervaring had ze niet met mannen, maar Andrew had ook krullen gehad. Ze vond het heerlijk om daar met haar handen doorheen te woelen. En Diederiks ogen... die waren zo intens grijs. Roos' ogen hadden dezelfde vorm, maar ze waren blauwer. Die van Diederik veranderden trouwens ook steeds van kleur, alsof ze reageerden op zijn stemming. Als hij haar aankeek werden ze donkerder. Maar ze wist niet wat dat betekende.

Geërgerd zette ze het strijkijzer weer neer. Wat deed ze idioot! Ze had die man één keer een halfuurtje gezien. Dit sloeg echt nergens op. Straks zou ze hem weer zien en dat was geen probleem. Ze moest zich gewoon geen dingen gaan verbeelden.

'Hoi Nina.'

Toen ze in zijn grijze ogen keek, sloeg haar hart weer een slag over. Ze hoopte maar dat het niet te erg opviel, maar ze voelde haar wangen weer rood worden.

'Hallo Diederik. Kom binnen. Renske en Sofie zijn nog even bezig. Wil je koffie?'

Hij leek te aarzelen, maar knikte toen. 'Is goed.'

Nina vluchtte naar de keuken, blij dat ze heel even de tijd had om zich te herstellen. Wat het ook was, het was geen verbeelding. Ze reageerde echt idioot op hem. Stom. En waarschijnlijk zag hij haar amper staan. Hij had natuurlijk altijd mooie verpleegsters en vlotte medestudenten om zich heen. Ze schonk een mok vol koffie en nam voor zichzelf een beker thee mee naar binnen. Gelukkig was Roos er. Dat leidde wel af. Maar tot haar grote schrik had Roos weinig te vertellen. Ze liet de boeken zien die ze meegenomen had en trok zich daarna met een paar Barbies terug in een hoekje.

Daar zaten ze dan. Nina had geen flauw idee waar ze met hem over moest praten.

'Ben je al een beetje gewend?' Het klonk stroef en ongemakkelijk, maar ze besefte dat hij echt zijn best deed een gesprek met haar te beginnen, dus antwoordde ze: 'Ja, dat is hier niet zo moeilijk. Sofie en Renske zijn schatten en Marco is ook erg aardig.'

'En de kinderen? Ach, dat hoef ik eigenlijk niet te vragen. Roos heeft de hele middag alleen maar over jou gepraat. Ze vindt je geweldig.'

'Oh... Eh...' Waarom was het zo moeilijk om spontaan op een complimentje te reageren? 'Dat is leuk om te horen.'

'Ze heeft zelfs boeken uitgezocht waarvan ze dacht dat jij ze goed kon voorlezen.'

Wat bedoelde hij daarmee? Wist Roos dat ze dyslectisch was? Nee toch? Wie had haar dat dan verteld? Maar Diederik vervolgde: 'Volgens haar kun je veel beter verhaaltjes vertellen dan de letters in het boek. Vooral als er van die mooi getekende platen in staan.'

'Dat klopt. Ik verzin er van alles bij. Dat vind ik leuk.'

'Dan kun je je maar beter goed voorbereiden. Ik heb voor haar gezocht, met duidelijke instructies. En ik vond een boek met van die oude vertelplaten, die vroeger op scholen gebruikt werden.'

'Oh leuk! Mijn moeder had er eentje. Er hoorde een boekje bij met verhaaltjes, maar wij verzonnen ze liever zelf. Dat was een vast ritueel voor het slapengaan. We kozen dan een stukje van de plaat uit en bouwden daar samen een verhaaltje omheen.'

Ze besefte ineens dat haar moeder haar op die manier had gestimuleerd met taal bezig te zijn, al was het dan niet op papier. En het had haar zekerder gemaakt in haar taalgebruik. Ze had nog steeds moeite om de juiste woorden te vinden voor lastige situaties of in felle discussies, maar in het gewone leven kon ze zich goed redden.

'Knap. Daar heb ik niet genoeg fantasie voor. Ik hou me maar bij voorlezen. En daar ben ik eigenlijk ook niet eens goed in. Roos vindt dat ik stemmetjes moet doen en daar pas ik voor.'

Het klonk verongelijkt. Nina keek hem verbaasd aan. 'Dat hoeft toch niet per se? Je moet gewoon doen waar je je goed bij voelt.'

'Dan zou ik helemaal niet voorlezen. Ik ben gewoon niet goed in dat soort dingen. Maar het moet nu eenmaal.'

Nina fronste. 'Moet? Natuurlijk niet.'

'Als ik nog iets van een band met mijn dochter op wil bouwen wel.'

'Maar je kunt toch ook andere dingen doen? Jullie gaan samen naar de bibliotheek en volgens mij heeft ze het dan geweldig naar haar zin. Als ze wat ouder is kun je haar meenemen naar de bioscoop, of desnoods naar een museum. Er is echt wel iets te verzinnen.'

'Ja, maar dat zijn allemaal dingen buitenshuis. Als we hier zijn, zit ik er voor spek en bonen bij. Tenzij ik voorlees.'

'Misschien kun je een spelletje met haar doen? Daar is ze ook dol op.'

'Spelletjes? Kan ze dat al?'

'Natuurlijk kan ze dat. Memory bijvoorbeeld. Of kwartetten. Daar is ze zelfs heel goed in. Ze heeft een geweldig geheugen. Dat heeft ze vast van jou.'

'Renske is ook niet dom.'

'Dat bedoel ik niet.'

'Nee, dat snap ik.' Hij staarde even peinzend voor zich uit. 'Ik hoop dat ze niet zo slim is als ik.'

'Niet? Dat begrijp ik niet. Het lijkt me heerlijk om zo goed te kunnen leren.'

Hij haalde zijn schouders op. 'Dat valt tegen.'

'Hoe kun je dat nou zeggen? Ik deed ontzettend mijn best, maar ik heb toch een jaar over moeten doen op de basisschool. Dat vond ik verschrikkelijk.'

Ze schrok toen ze zich realiseerde wat ze eruit geflapt had. Nu wist hij dat ze dom was. Hoe kon ze uitleggen dat ze de lesstof meestal wel begreep, maar de antwoorden op de vragen simpelweg niet op papier kreeg?

Maar Diederik was nog met zijn eigen problemen bezig. 'Ik heb zowel op de basisschool als op de middelbare school een jaar overgeslagen. Ik was altijd en overal de jongste. Ik hoorde nergens bij. En kijk wat ik van mijn leven gemaakt heb. Ik ben gestopt met studeren om in een privékliniek te gaan werken, heb daar weer ontslag genomen en probeer nu mijn studie weer op te pakken en een onderzoeksplaats te krijgen. Maar die zijn eigenlijk alleen voor uitmuntende leerlingen en dat ben ik dan weer niet. Zeker de laatste tijd niet. Stoppen met je studie is geen pre.'

'Maar er zijn toch zoveel studenten die langer over hun studie doen?'

'Ik doe er niet langer over. Mijn studiepunten heb ik alweer ingehaald. Maar ik had een goede positie in het Academisch Ziekenhuis. En die ben ik kwijt. Dat maakt het lastig.'

'Waar werk je nu dan? Of werk je niet?'

'Jawel, maar dan gewoon in het streekziekenhuis.'

'Dat maakt toch niet uit? Daar zijn toch ook zieke mensen?'

Hij keek haar verbluft aan en schoot toen in de lach. 'Je hebt nog gelijk ook. Eigenlijk maakt het niets uit. Maar het draait in het wereldje nu eenmaal allemaal om status.'

'Dat is vreemd. Als ik goed kon leren zou ik misschien ook wel medicijnen gaan studeren. Het lijkt me geweldig als je weet hoe je mensen beter kunt maken.'

Hij zuchtte. 'Daar gaan we weer.'

'Wat bedoel je?'

'Deze discussie heb ik met Renske ook al zo vaak gehad. Dokter zijn is iets heel anders dan mensen beter maken. En daar laat ik het bij.' Hij stond abrupt op.

Nina keek hem verschrikt aan. 'Waarom ga je weg? Je zou vandaag toch blijven eten? Renske en Sofie zullen het zo jammer vinden als ze je helemaal niet zien.'

Hij lachte schamper. 'Denk je dat?'

'Ja, dat denk ik. Ze beschouwen je als een deel van de familie.'

'Daar geloof ik niets van.'

'Waarom niet?'

'Toe nou, dat snap je toch wel?' Het klonk alweer zo neerbuigend. Nina voelde een steek, maar ineens werd ze opstandig. 'Ik snap wel waarom jij je terugtrekt, maar jij snapt blijkbaar niet hoe stom dat is.'

Ze draaide hem de rug toe en ging bij Roos op de grond zitten, die meteen begon te vertellen wat de Barbies aan het doen waren. 'Ze zijn aan het winkelen. Kijk, ze hebben heel veel kleren. Ik heb deze allemaal van Diederik gehad.'

Dat viel haar mee. Blijkbaar had hij spontaan een cadeautje voor zijn dochter gekocht. Zie je wel dat hij wel aardig kon zijn? Maar waarom deed hij dan zo stug en boos tegen haar?

'Dus ze zijn niet aan het trouwen?'

'Nee joh, suffie. Dat gaan ze straks doen. Ze moeten nu kleren kopen voor de bruiloft.'

Nina grinnikte. Ze had het kunnen weten. Roos zou het dagelijkse Barbiehuwelijk echt niet overslaan.

Roos leunde tegen haar aan. 'Ik ben een beetje moe. Wil jij een verhaaltje vertellen?'

'Dat is goed. Zomaar een verhaaltje, of een verhaaltje uit een van je nieuwe boeken?'

Roos sprong op om haar boeken te pakken. Blijkbaar was die vermoeidheid niet echt erg, maar Nina nam zich wel voor erop te letten of Roos niet ziek werd. Dit was de eerste keer sinds ze haar kende dat ze het meisje had horen zeggen dat ze moe was.

Ze keek op en zag tot haar verbazing dat Diederik weer was gaan zitten. Hij nam een slok van zijn koffie, maar hun ogen ontmoetten elkaar en heel even bleven ze elkaar aankijken. Ze zag dat hij het ook voelde. Of wilde ze dat zien? Met heel veel moeite richtte ze zich op het boek dat Roos haar gaf. De wetenschap dat Diederik meeluisterde, zorgde ervoor dat ze even helemaal niets kon verzinnen. En ze kon ook niet letterlijk voorlezen wat er stond, want door de zenuwen, leken de woorden nog meer dan anders verstoppertje te spelen. Gelukkig kwam Renske binnen voor Roos ongeduldig werd.

'Mama, ik ben thuis. Ik en Diederik hebben hele mooie boeken gevonden. En Nina gaat een verhaaltje vertellen.'

'Dat is leuk. Maar ik moet eerst even iets aan Nina vragen. Misschien kan Diederik eerst even voorlezen?'

Nina wachtte zijn reactie niet af en liep snel achter Renske aan de kamer uit. Die keek haar onderzoekend aan.

'Wat is er aan de hand? Je keek zo wanhopig dat ik maar een smoesje verzonnen heb om je te redden.'

Verbluft staarde Nina naar Renskes lachende gezicht. 'Echt waar?'

'Was Diederik vervelend tegen je?'

'Nee. Helemaal niet. Ik vind het alleen niet prettig om voor te lezen als er anderen bij zijn.'

'Oh. Is dat alles?' Op Renskes gezicht was duidelijk te zien dat ze er het hare van dacht.

'Ja, dat is alles.'

'Ik geloof er niets van. Het geeft niet als je het me niet wil vertellen. Maar als je het kwijt wilt, weet je waar je me kunt vinden. We zijn bijna even oud, het zou leuk zijn als we vriendinnen werden.'

'Vriendinnen?'

'Ja, waarom niet?'

'Omdat ik voor jou en Sofie werk.'

'Joh, we leven niet meer in de middeleeuwen! Maar voel je niet verplicht, hoor. Ik wil alleen maar zeggen dat je me gerust in vertrouwen kunt nemen als je daar behoefte aan hebt. Want ik heb zo'n vermoeden dat ik daarnet een bepaald soort spanning tussen jou en Diederik voelde. Ik ben gek op romances.'

'Er is geen romance. Dat zou onmogelijk zijn.'

'Waarom?'

'De tegenstelling is te groot. Hij is zo slim en ik...'

Het belsignaal van Renskes telefoon onderbrak haar. Renske zuchtte geïrriteerd.

'Het spijt me, maar ik moet opnemen. Maar je weet het, je mag altijd bij mij je hart uitstorten.'

Terwijl ze de telefoon opnam, rende ze snel de trap op naar haar eigen appartement.

Nina zuchtte. Gered door de bel. Hoe kwam het dat ze hier zo gemakkelijk toegaf wat haar dwars zat? Ze was normaal gesproken niet zo spontaan. Blijkbaar voelde ze zich toch wel heel erg op haar gemak hier.

Als Diederik er maar niet was. Hij maakte haar onrustig.

En toch kon ze het niet maken hem daar alleen te laten zitten. Het was duidelijk dat hij moeite had om met Roos om te gaan. En voor Roos was dat ook niet leuk. Ze haalde diep adem en duwde de deur open. Het kon niet anders.

Tot haar verbazing zag ze Diederik tegenover Roos aan tafel zitten, met de memorykaartjes voor hen. Hij keek glimlachend op.

'Je hebt gelijk. Ze is er goed in.'

'Diederik is ook heel goed.' Roos knikte enthousiast en zei vertrouwelijk tegen haar vader: 'Nina kan het ook, maar ze laat mij altijd winnen. Mama laat me niet winnen, mama kan het gewoon niet onthouden.'

'Misschien moet Nina dan maar meedoen. Dan maken we er een kampioenschap van.'

Nina schudde haar hoofd. 'Ik kijk wel hoe jullie spelen.' Ze wist heel zeker dat ze er niets van zou bakken als Diederik op haar vingers keek.

Hoewel ze hun best deden hun verbazing te verbergen, was het wel duidelijk dat Marco en Sofie niet hadden verwacht dat Diederik ooit werkelijk hun uitnodiging om te blijven eten aan zou nemen. Hij bleef zelfs na het eten nog een kopje koffie drinken. Pas om half negen stond hij op.

'Nu moet ik echt gaan. Ik heb morgen vroege dienst.'

'Hoe vroeg is vroeg? Dat vraag ik me altijd af als iemand dat zegt,' lachte Sofie.

'Half zeven. Maar ik moet bijna een halfuur fietsen, dus moet ik uiterlijk om zes uur weg.'

'Fiets je naar je werk? Wat gezond.'

'Meer noodzaak. Ik heb geen studiefinanciering meer en geen geld voor een abonnement of een auto. Maar het houdt me in conditie, dus dat scheelt me ook nog geld voor de sportschool.'

Hij stak groetend zijn hand op, maar zijn blik bleef heel even op Nina rusten voor hij zich omdraaide en wegging.

Sofie keek haar nieuwsgierig aan. 'Wat is er met hem aan de hand? Hij heeft nog nooit zoveel gezegd, zeker niet tegen mij. Heb jij hem ontdooid?'

Nina haalde haar schouders op. 'Geen idee.'

'Renske zei dat ze iets merkte tussen jullie.'

'Dat verbeeldt ze zich maar. Behalve irritatie en onbegrip is er helemaal niets. Echt niet.' Ze hoorde zelf hoe verdedigend het klonk.

Sofie glimlachte geruststellend en ging toen over op een ander onderwerp. 'Morgen moet ik naar de studio. Vind je het erg om mee te gaan? We moeten vroeg beginnen.'

'Hoe vroeg is vroeg?'

'Haha, grappig. Net zo vroeg als hij. We gaan om zes uur weg, want we moeten om zeven uur in de studio zijn.'

'Moet je rond die tijd al beginnen met de opnames? Dan kom je in de knoop met de eerste voeding.'

'Nee, we beginnen tegen achten, maar de kleedkamers zijn om zeven uur al beschikbaar. Dat heb ik expres zo geregeld. Maar dat houdt dus wel in dat jij morgen een heel lange dag zult hebben.'

'Net zo lang als jij en ik ben niet net bevallen.'

'Tja, daar heb je een punt. Sorry. Ik heb altijd het gevoel dat ik je moet ontzien. Je bent zo klein en mager.'

'Dat hoeft niet. Ik ben veel sterker dan ik eruitzie en ik ben gewend om lange dagen te maken. De afgelopen week was bijna vakantie vergeleken met wat ik hiervoor deed.'

'Dan hebben die mensen aardig misbruik van je gemaakt.'

Dat klopte wel een beetje, maar Nina haalde haar schouders op.

'Niet allemaal. En ik heb er een hoop geleerd. Maar ik vind het hier wel erg prettig.'

'Dat is fijn om te horen. Hou je zelf ook in de gaten dat je niet te veel uren maakt?'

'Dat komt wel goed.'

'Nee dus. Ik zal er geen misbruik van maken, maar je bent wel erg goed van vertrouwen.'

'Het gaat om de kinderen. Ik vind het fijn om voor hen te zorgen. Als ik bij een gezin ben, is dat mijn taak. En dan ga ik geen uren tellen. Ik kan toch niet tegen Roos zeggen dat ik niet wil voorlezen, omdat mijn tijd om is?'

'Eigenlijk kan dat wel. Ik heb wel gezegd dat ik je graag als gezinslid wil beschouwen en niet als personeel, maar dat betekent niet dat je geen rechten hebt. Zo bedoelde ik het niet.'

Nina schudde haar hoofd. 'Dat begrijp ik. Het maakt niet uit. Ik weet dat jullie geen misbruik van me zullen maken. En ik vind het fijn om bij dit gezin te horen.'

Hoofdstuk 4

Nog voor zeven uur arriveerden Sofie en Nina met de tweeling bij de studio. Nina keek nieuwsgierig om zich heen. Een beetje teleurgesteld constateerde ze dat het er eigenlijk helemaal niet zo boeiend uitzag. Ook de kleedkamers voldeden niet echt aan haar verwachtingen.

'De teleurstelling staat duidelijk op je gezicht te lezen,' constateerde Sofie. 'Dit is Hollywood niet. Alles is hier heel gewoontjes. Maar ik heb wel een eigen kleedkamer en nog een grote ook. Dat is al heel wat.'

Een jonge vrouw liep de kleedkamer binnen. 'Even naar je zoons kijken. Wat een schatjes!' Ze boog zich over de reiswiegjes. 'Heb je al tijd voor make-up?'

'Ik wilde ze eigenlijk eerst even voeden. Twintig minuten. Lukt dat?'

'Natuurlijk.' De vrouw aaide de beide jongetjes over hun wangen en liep terug naar de deur. 'Ik zal proberen de rest nog even tegen te houden. Iedereen wil ze dolgraag zien.'

'Zeg maar dat ik ze kom showen als ik klaar ben. Dan kan Nina meteen de opnamestudio even zien.'

'Oh, wat ben ik onbeleefd! Jij bent dus Nina. Ik ben Lianne. Welkom.'

Voor Nina antwoord kon geven was ze alweer weg.

Sofie grinnikte. 'Nu weet je nog niets. Lianne is onze visagiste. Altijd even druk, maar geweldig in haar vak.'

Toen de baby's gevoed en verzorgd waren, kwam Lianne weer binnenrennen. 'Klaar? Mooi. Dan kunnen we aan de gang.'

Nina keek geïnteresseerd toe hoe Sofie werd opgemaakt. Lianne zag haar kijken en legde uit: 'Het lijkt belachelijk dik, maar met de studiolampen erop ziet het er heel anders uit. Je kunt zo niet naar een feestje, maar als je met normale make-up gefilmd wordt, ziet het er ook niet uit. Het zijn echt twee verschillende takken van sport.'

Nina knikte. 'Ik vind het zo ook wel mooi. Haar ogen lijken nog groter en haar mond valt beter op.'

'Dat is ook de bedoeling. Op die manier kan ze gemakkelijker met haar gezicht acteren. Dat is vooral in comedy heel belangrijk.'

'In deze comedy in ieder geval wel. Het is echt zo'n ouderwetse familieshow. Geen gescheld en gevloek, gewoon gezellige grapjes en af en toe een klein drama. Ik vind het geweldig om eraan mee te werken.'

'Ik ben heel benieuwd. Wanneer wordt de eerste aflevering uitgezonden? Of heb ik die al gemist?'

'Nee, nog niet. We moeten nog een aantal afleveringen opnemen. Toen mijn zwangerschap heel duidelijk zichtbaar werd, hebben we alleen maar close ups gedaan en mijn buik zoveel mogelijk verborgen achter stoelen en meubels. Maar er zijn scenes waarin ik toch echt heen en weer moet lopen.'

'Je doet dus alles door elkaar? Ik dacht altijd dat zo'n aflevering gewoon achter elkaar gespeeld werd, net als een toneelstuk.'

'Bij ons niet. Dat soort series zijn er wel, of ze zijn er in ieder geval vroeger geweest, want ik kan me vaag herinneren dat ik op televisie wel eens heb horen zeggen *'this show was taped in front of a live studio audience'*. Maar ik kan me niet meer herinneren welke show dat was.'

Lianne fronste. 'Nu je het zegt... ik herinner me ook zoiets. Maar ik heb het nog nooit meegemaakt. Niet als publiek en zeker niet als visagist.'

Ze wierp via de spiegel nog een laatste blik op Sofie. 'Klaar.'

'Mooi. Dan gaan we nu mijn zoons showen. Daar komen we niet onderuit, vrees ik.'

'En dat wil je ook niet. Je bent apetrots op die twee, dat is duidelijk te zien.'

Nina was het met Lianne eens. Ze had Sofie altijd een mooie vrouw gevonden, maar nu ze met de twee baby's richting de opnamestudio liep, straalde ze gewoon.

Op Sofies verzoek liep Nina mee, zodat ze de kinderen over kon nemen als de opnames begonnen. Verlegen hield ze zich op de achtergrond terwijl een in haar ogen enorme groep mensen zich om Sofie en de kinderwagen verdrong. Hoe kon Sofie al die mensen uit elkaar houden? En ze kende ze blijkbaar ook nog allemaal bij naam. Sofie praatte vrolijk met iedereen die haar aansprak en was duidelijk in haar element. Dit was een heel andere kant van de vrouw die ze de afgelopen week had leren kennen.

'A penny for your thoughts.'

Ze keek geschrokken op.

'Sorry?'

'Je komt toch uit Amerika? Ik vroeg me af waar je met je gedachten was. Je leek heel ver weg.'

Nina lachte. 'Ik kom uit Groot-Brittannië en heb een paar jaar in Amerika gewoond, maar mijn vader komt hier vandaan. Ik versta dus gewoon Nederlands.'

'Dat is wel zo gemakkelijk.'

De man die haar aangesproken had, stak zijn hand uit. 'Goede-morgen. Ik ben Nico Jansma. Ik werk hier als geluidstechnicus.'
'Nina Veldman, Sofies au pair. Maar dat wist je dus al.'
Hij knikte en hield haar hand langer vast dan nodig was. Hij was knap, besefte ze. Bijna te mooi voor een man, maar toch heel aantrekkelijk. Hij had donkerblond haar dat hij in een staartje in zijn nek gebonden had en donkere ogen, die haar onderzoekend aankeken.
'Leuk je te ontmoeten.' Iemand riep zijn naam en hij keek geïr-riteerd om. 'Ik moet aan het werk. Maar ik zal je vast nog wel vaker zien.'
De manier waarop hij dat zei en de intonatie van zijn stem verrie-den dat hij daar meer mee bedoelde dan alleen maar de constate-ring van een feit. Verwonderd en gevleid besefte Nina dat hij met haar flirtte. Ze bloosde. Dat was nog nooit eerder gebeurd. Ze was nu eenmaal onopvallend en stil, niet het soort meisje dat de aandacht trok. Maar het was wel leuk als het toch eens gebeurde.

Toen iedereen Stijn en Gijs genoeg bewonderd had, bracht Nina de kleintjes terug naar de kleedkamer. Ze liep een tijdje met Stijn rond, die door alle drukte niet meteen in slaap viel. Gijs was veel gemakkelijker. Hij sliep langer en huilde minder. Grappig was dat, dat je bij zulke jonge kinderen al verschillen in het karakter kon herkennen.
Uiteindelijk viel het jongetje in slaap. Voorzichtig legde ze hem in het reiswiegje. Ze overtuigde zich ervan dat ook Gijs rustig sliep en haalde toen haar breiwerk uit haar tas. Als ze een beetje opschoot kon ze het vest waar ze mee bezig was vanavond al

af hebben. Het was eigenlijk grappig dat Sofie dit als een lange werkdag beschouwde. Het voelde niet als werken. Ze zat in een comfortabele stoel en hield zich bezig met iets waar ze veel plezier in had. Ze vermoedde dat Sofie het zelf een stuk zwaarder had en dat vermoeden werd bewaarheid, toen de actrice na drie uur de kleedkamer binnenkwam en op de andere stoel neerviel.

'Mijn conditie is nog niet echt geweldig. Ik ben doodop! Maar gelukkig heb ik ruim een uur pauze.'

Nina glimlachte. 'Voor zover je zoons je dat gunnen, want die beginnen wakker te worden.'

'Ja, dat was te verwachten. We hebben de opnames tenslotte om hun voedingen heen gepland.'

'Wil je eerst zelf iets drinken? Er staat vers geperste jus d'orange in de koelkast.'

'Echt waar? Oh, heerlijk! Hoe kom je daaraan?'

'Er kwam iemand vragen of ik iets te drinken wilde. Ik wist niet of jij daar ook iets kreeg, dus ik heb voor jou ook besteld.'

Ze legde haar breiwerk aan de kant en stond op om het afgedekte glas uit de koelkast te halen. Sofie pakte het aan en nam genietend een slokje.

'Daar was ik aan toe. Het is fijn om weer aan het werk te zijn, maar ik kan merken dat ik er een tijdje uit geweest ben.'

'Je hebt nog niet eens een volledig zwangerschapsverlof gehad. Ik vind het niet zo gek dat het zwaar voor je is. En borstvoeding geven vraagt ook een hoop energie.' Nina schoof een belegd broodje naar haar toe. 'Je moet goed eten.'

'Ik heb je aangenomen om mijn kinderen te bemoederen, niet mij. Maar ik vind het wel lief dat je zo aan me denkt.'

'Dat hoort ook bij mijn werk. En ik vind het leuk om voor mensen te zorgen.'

Omdat Sofie duidelijk behoefte had aan rust, pakte Nina haar breiwerk weer op. Ze breide zwijgend een paar naalden, terwijl Sofie at en dronk. Vanuit de reiswiegjes klonken geluidjes die erop duidden dat de rust snel voorbij zou zijn.

'Is Stijn nog niet wakker? Hij begint normaal gesproken een kwartier voor het tijd is te gillen.'

'Hij slaapt nog niet zo lang. Het duurde even voor hij tot rust gekomen was na alle drukte om hem heen.'

'Het was ook belachelijk druk. Maar ja, het leek me voor jou prettiger als er niet de hele dag door mensen binnen wippen om de tweeling te zien.'

Nina lachte. 'Dat doen ze even goed wel.'

'Echt waar? Dat was niet de bedoeling. Je mag de deur wel op slot doen als je het vervelend vindt, hoor.'

Nina besefte dat Sofie heel goed door had dat ze niet van mensen om zich heen hield. Maar ze schudde haar hoofd.

'Het valt wel mee. De meesten denken dat ze heel stil moeten zijn als baby's slapen, dus ze sluipen naar binnen, fluisteren dat ze schattig zijn en sluipen dan weer naar buiten.'

'En jij zit er als een waakhond naast.'

'Zoiets. Maar dat vind ik niet erg. Mijn breiwerk schiet op deze manier wel lekker op.'

'Wat ben je aan het maken?'

'Een vest voor mezelf. En twee babytruitjes. Heb jij bezwaar tegen wollen truitjes?'

'Nee, natuurlijk niet. Ben je voor Stijn en Gijs aan het breien dan?'

Nina knikte en trok haar tas onder haar stoel vandaan. 'Ik ben al klaar. Die kleine truitjes zijn zo leuk voor tussendoor.'

'Nou, ik doe het je niet na, hoor! Wat schattig! Of eigenlijk niet. Ze zijn stoer. Ik vind ze geweldig. Mag ik ze echt hebben?'

'Ja, ik heb ze voor jou gebreid. Of eigenlijk voor Stijn en Gijs. Maar die merken er niets van.'

'Geweldig. Ik wou dat ik zoiets kon. Maar ik heb er het geduld niet voor. Renske trouwens ook niet. Met de naaimachine kan ze alles, maar breien doet ze niet graag. Dat duurt te lang.'

'Ik vind dat juist zo fijn. En het is handig dat ik het overal mee naar toe kan nemen.'

'En het is geluidloos. Ik zie Renske nog niet met haar lockmachine naast een slapende baby zitten.'

Sofie streelde de zachte wol van de truitjes.

'Jammer dat het er nu te warm voor is, anders zou ik ze hen meteen aandoen. Ik ben er echt heel blij mee. Dank je wel.' Er klonk een luide kreet uit een van de wiegjes. 'Hij is wakker. Het blijft grappig dat Stijn altijd haantje de voorste is.'

Alsof hij dat niet op zich kon laten zitten, begon Gijs ook te huilen. Lachend bogen Sofie en Nina zich over de wiegjes.

Het was een rare dag. De opnames waren inderdaad om de voedingen heen gepland, maar gingen door tot in de avond. Om de paar uur kwam Sofie een uurtje om uit te rusten en de tweeling te voeden en dan liet ze Nina weer alleen met de kinderen.

Nina vermaakte zich best. Ze ging twee keer met de baby's buiten wandelen en zorgde dat Sofie iedere keer iets te eten en te drinken had. De nog steeds binnenvallende babybewonderaars vond ze een leuke afwisseling, al bleef ze meestal zwijgend zitten breien en gaf alleen kort antwoord als er iets gevraagd werd.

Toen er voor de zoveelste keer zachtjes op de deur geklopt werd, reageerde ze dus ook nauwelijks, tot er een hand op haar schouder gelegd werd. Verschrikt keek ze op.

Nico grijnsde innemend. 'Slecht geweten?'

Ze bloosde en kon nog net voorkomen dat ze ging stotteren toen ze antwoordde: 'De meeste mensen komen alleen even in de wiegjes gluren.'

Hij haalde zijn schouders op. 'Baby's boeien me niet zo. Ik kom naar jou gluren.'

Hij deed het weer. Flirten. En hij was er goed in. Gevleid en nog steeds licht blozend lachte ze.

'De baby's zijn leuker.'

'Daar ben ik het niet mee eens. Ik vind jou leuk.' Hij boog zich dichter naar haar toe. 'Heel leuk zelfs.'

Waarom kon ze nou geen ad rem antwoord geven? Of gewoon gezellig terug flirten? Nina voelde zich onhandig en lomp. Maar hij leek het niet te merken.

'Nee, ik zeg het verkeerd. Ik vind je mooi. Je hebt prachtige ogen. En je gezicht... Ik heb nog nooit een meisje zoals jij ontmoet. Zo puur.'

Zijn lippen raakten bijna de hare. Ze trok haar hoofd een stukje terug. Hij liep wel erg hard van stapel. Voorzichtig zei ze: 'Dat meen je niet.'

'Dat meen ik wel. Schrik je daar van? Ben ik te voortvarend?'

'Eigenlijk wel, ja.'

'Dat is niet de bedoeling. Zie je wel. Ik heb echt nog nooit een meisje zoals jij ontmoet. Ik pak het helemaal verkeerd aan.'

Hij ging tegenover haar zitten. 'We doen het anders. Ik ga gewoon met je praten.' Hij schraapte zijn keel en zijn blik viel op haar breiwerk. 'Wat ben je aan het doen?'

'Een vest aan het breien.' Heel even dacht ze iets spottends in zijn blik te zien, maar dat verdween zo snel dat ze aannam dat ze het zich verbeeldde.

'Een heel vest? Voor jezelf? Is dat niet verschrikkelijk veel werk?' Ze lachte. 'Normaal gesproken wel, maar met dagen als vandaag gaat het wel snel.'

'Zit je hier echt de hele dag alleen? Dat is belachelijk.'

'Waarom? Dit is mijn werk. En ik zit hier niet heel de dag alleen. Sofie komt om de paar uur hierheen en ik heb twee keer een mooie wandeling gemaakt.'

'Terwijl de baby's sliepen? Hoe doe je dat? Met een babyfoon?'

'Nee, met de kinderwagen natuurlijk. Ik laat ze niet zonder toezicht achter. En buitenlucht is goed voor ze.'

'Oh... natuurlijk. Het is wel verschrikkelijk saai werk.'

'Dat valt wel mee. Bovendien doen we dit niet iedere dag. Sofie heeft de komende tijd maar drie dagen per week opnames, dus dat is best te doen.'

'Maar ik neem aan dat je normaal gesproken ook op de kinderen past.'

'Niet als Sofie thuis is. Ik help haar wel als het nodig is, maar ze doet zoveel mogelijk zelf.'

'Dus je hebt af en toe wel vrij?'

'Natuurlijk heb ik af en toe vrij.'

'Heb je...'

Hij werd onderbroken doordat Sofie binnenkwam.

'We zijn klaar! Wat denk jij? Halen we het naar huis voor ze honger krijgen?'

Nina wierp een blik op haar horloge. 'Ik denk het wel. Als we opschieten.' Ze stond op. 'Sorry Nico, nu moet ik aan het werk.'

Terwijl Sofie snel haar make-up verwijderde, pakte Nina vlug de babyspullen in die in de kleedkamer verspreid lagen.

Nico wachtte heel even, maar verdween toen, na een korte groet. 'Tot de volgende keer.'

Sofie keek Nina via haar spiegel aan. 'Stoorde ik jullie? Dat was niet mijn bedoeling. Ik was gewoon blij dat ik naar huis kon, maar ik kan ook wel wachten, hoor.'

Nina haalde haar schouders op. 'Hij maakte alleen een praatje. Niets bijzonders.'

'Het is wel een aardige jongen. Voor zover ik hem ken, dan. Hij werkt hier nog niet zo lang.'

'Hij flirt met me.'

Sofie grijnsde. 'Dat klinkt alsof het je verbaast.'

'Ik ben maar heel gewoon. Hij is vreselijk knap.'

'Jij bent niet gewoon. Je hebt een lief gezicht en heel mooie ogen.'

'Dat zei hij ook. Min of meer.'

'Vind je het niet leuk als hij met je flirt? Zal ik hem vragen afstand te houden?'

'Nee, dat hoeft niet. Het is eigenlijk wel leuk. Maar ik ben het niet gewend. En ik voel me zo onhandig als ik niets terug weet te zeggen.'

'Gewoon jezelf blijven. Dat is het beste.'

Nina was het daar niet mee eens, maar ze hield haar mond. Hoe kon je iemand die zo mooi en sprankelend was als Sofie uitleggen hoe het voelde om dom en onopvallend te zijn? Waarschijnlijk had Nico alleen maar met haar geflirt bij gebrek aan beter. Ze moest dat soort dingen gewoon niet zo serieus nemen. Dat was altijd al haar fout geweest en ze had er heel wat verdriet van gehad. Stom dat je daar blijkbaar niet van leerde.

Na een paar weken kwam Nina tot de conclusie dat er in dit gezin geen sprake was van echte regelmaat, maar dat er wel een soort basisroutine bestond, die de zaken overzichtelijk hield. Sofie en Renske bespraken dagelijks met haar wat hun plannen voor de dag erna waren. Voor Nina wisselden dagen waarop ze met Sofie meeging naar de studio en dagen waarop ze op Roos paste zich af en dat beviel haar prima. Het kleine meisje was al helemaal aan haar gewend en vond het heerlijk dat Nina alle tijd nam om met haar te spelen op de dagen waarop haar moeder er niet was.

Diederik kwam ook iedere week. Hij had geen vaste afspraak omdat zijn rooster nu eenmaal sterk wisselde, maar het viel Nina op dat hij wel degelijk moeite deed om zijn dochter regelmatig te zien. Na die ene keer was hij echter niet meer blijven eten en ze had soms het idee dat hij zich bewust nog verder op de achtergrond hield dan in het begin. Ze vond dat erg jammer, maar ze wist ook niet wat ze eraan moest doen. Was Diederik maar meer zoals Nico. Die had een stuk minder moeite om contact te leggen. Misschien wel iets te weinig, bedacht ze glimlachend. Hij was best aardig, maar ze wist niet zo goed wat ze met hem aan moest. Hij flirtte nog steeds onomwonden met haar en ze stond altijd met de mond vol tanden. Waarom kon ze niet gewoon gezellig terugflirten? Het had niets meer met verlegenheid te maken, daarvoor kende ze hem nu wel goed genoeg. Met Renske en Sofie kon ze immers wel gezellig praten? Maar op de een of andere manier bleef er tussen Nico en haar een barrière die ze niet kon doorbreken. Misschien was dat wel de reden waarom ze na twee weken aandringen van zijn kant eindelijk toegaf en met hem ging lunchen.

'Natuurlijk mag dat.' Sofie vond het geen probleem. 'Ik kan best een uurtje alleen zijn met de tweeling en anders is er vast wel iemand te vinden die op ze kan passen.'

'Ik kan het beter niet doen. Je hebt me nodig.'

'Ben je mal. Je maakt enorm lange dagen als je hier bent. Het minste wat ik kan doen is je een lange lunchpauze gunnen. En dat je die lunchpauze doorbrengt met een knappe man is natuurlijk helemaal mooi meegenomen.' Ze knipoogde.

Nina lachte. 'Nou goed dan, het lijkt me wel gezellig.'

En dat was het ook. Na die eerste keer was het gewoonte geworden om tussen de opnames door even met Nico naar het restaurantje aan het eind van de straat te gaan en daar iets te eten. In de wandelgangen van de studio werd er al gesuggereerd dat Nico en Nina een stelletje waren. Toch had Nina de neiging om dat te ontkennen. Want hoewel ze zich gevleid voelde door zijn aandacht voor haar, had ze niet het idee dat ze hem echt kende. Eigenlijk waren die uurtjes niet meer dan een voortzetting van de momenten waarop hij haar in de kleedkamer had bezocht. Hij flirtte, plaagde, maakte grapjes en voor ze het wist was de tijd alweer om. Maar ze had niet het idee dat er echt iets tussen hen groeide. Of wilde ze dat gewoon niet? Vervelend was dat. Ze bleef erover piekeren, maar ze kwam er niet uit.

'Wat kijk je bedenkelijk? Is er iets aan de hand?'

Nina schrok toen er een hand op haar schouder gelegd werd. Ze keek op en zag dat een man haar lachend aankeek. Ze herkende hem niet, maar de camera met de enorme lens die hij om zijn nek droeg, was duidelijk genoeg. Ook dat nog. Ze stond bij school op Roos te wachten en ze kon wel raden dat hij hier om dezelfde reden was.

Zo kalm mogelijk zei ze: 'Ken ik u?'

De man grijnsde. 'Nee, maar ik ken jou wel. De au pair van Sophia Whittam. Jij weet vast wel een paar sappige verhalen te vertellen.'

'Niet echt.' Oh, waarom kon ze hem niet gewoon met een paar snedige opmerkingen op zijn nummer zetten? Ze probeerde hem kwijt te raken door hem te negeren en verder te lopen, maar hij liep met haar mee.

'Ik begrijp dat je dat niet gratis doet, maar we kunnen het vast wel eens worden.'

'Wat?' Nina keek hem verbaasd aan.

'Doe niet alsof je me niet begrijpt. Je hebt toch al eerder zoiets gedaan?'

'Ik begrijp echt niet wat u bedoelt.'

'Verhalen lekken voor geld. Kom op, voor mij hoef je de schijn niet op te houden. Ik weet er alles van.'

'Waarvan?'

'Oh, jij bent hier goed in. Doen alsof je van niets weet, tot je een duidelijk aanbod hebt. Ik zal erover nadenken. *I'll be back*.'

Hij liep weg en Nina keek hem met gemengde gevoelens na. Ze had tijdens het gesprek echt geen idee gehad wat hij bedoelde, maar langzaam drong tot haar door waar hij op zinspeelde. Hoe was hij daar achter gekomen? En hoe legde ze uit dat het heel anders zat dan hij dacht?

Ze bleef erover piekeren tot Roos huppelend naar buiten kwam. Daarna richtte ze bewust al haar aandacht op het kind. Ze zou er later wel beter over nadenken. En misschien was dit gewoon een loos dreigement geweest. Dan maakte ze zich druk over niets. Opgelucht over die conclusie pakte ze het handje dat Roos in de hare legde.

'Wat zeg je Roos?'

'Gaan we naar de speeltuin? Jij zei dat we dat gingen doen als het mooi weer was. Is het nu mooi weer?'

Nina knikte. 'Dat is het zeker. We gaan naar de speeltuin.'

'Ik wil schommelen. Ga jij me dan duwen tot ik heel, heel hoog ga?'

'Dat zal ik doen.'

'Misschien ga ik wel vliegen als ik zo hoog ben.'

'Zo voelt het wel, hè? Maar je moet de touwen goed vast houden, dat weet je toch?'

'Ja, natuurlijk. Anders val ik. Ik kan alleen maar vliegen op de schommel, want ik heb geen vleugeltjes. Ik wou wel dat je vleugeltjes kon kopen. Echte vleugeltjes. Tara heeft wel vleugels, maar daar kan je niet mee vliegen. Die zijn nep. Kun je ook echte vleugeltjes kopen?'

'Nee, dat denk ik niet.'

'Kunnen mensen vliegen? Als ze vleugels zouden hebben?'

Nina lachte. 'Nee, alleen vogels en insecten kunnen dat.'

'En elfjes natuurlijk.'

'Ja, die ook.'

Uit haar ooghoeken zag ze de fotograaf op het hoekje van de straat staan. Hij deed alsof hij bezig was zijn camera in te stellen, maar ze kon zien dat hij hen goed in de gaten hield. Vlug ging ze aan de andere kant van Roos lopen, zodat hij niet gemakkelijk een goede foto kon nemen. Hij grijnsde en zwaaide vriendelijk naar haar, maar ze negeerde hem, terwijl ze zich dwong naar het gebabbel van Roos te luisteren. Ze moest zich niet aanstellen. Zo erg was het niet als er een foto van haar en Roos in een blad verscheen. Maar zijn insinuaties bleven door haar hoofd rondspoken, hoe ze haar best ook deed om aan iets anders te denken...

Hoewel de dagen in de studio voor Sofie druk en hectisch waren, vond Nina het daar altijd heerlijk rustig. De grote kleedkamer was heel comfortabel en in de omgeving van de studio waren mooie wandelroutes, zodat ze met de baby's gemakkelijk een luchtje kon scheppen. Eenzaam was het ook niet. Er kwamen nog steeds regelmatig mensen langs om naar de tweeling te kijken en natuurlijk werd de lange dag onderbroken door haar lunchuitje met Nico. Ze nam net een hapje van haar broodje toen hij vroeg: 'Wat doe jij eigenlijk in je vrije tijd?'.

'Lunchen met jou. Dat weet je toch?'

'Nee, ik bedoel in het weekend. Ik neem tenminste aan dat je geen zeven dagen per week werkt.' Hij keek haar met een spottend glimlachje aan.

'Nee, natuurlijk niet. In het weekend ben ik vrij, maar ik doe niet veel. Breien, een beetje televisiekijken, internetten.'

'Ga je nooit eens gezellig uit?'

'Nee, eigenlijk niet Maar dat vind ik niet erg, ik ben niet zo'n uitgaanstype.'

'Onzin! Je bent pas... achttien of zo...'

'Tweeëntwintig.' Wist hij dat niet? Vreemd.

'Nou ja, dat is ook nog piepjong. Je hoort af en toe eens uit de band te springen, hoor. Je lijkt wel zo'n meisje uit de jaren vijftig.' Nina glimlachte. 'Die waren anders ook niet altijd even braaf. Ik doe wat ik wil. Ik wil niet uitgaan.'

'Dat is toch oersaai? Ik ga ieder weekend. Als ik niet moet werken tenminste. Ik doe soms ook het geluid bij theatervoorstellingen. Maar dan ga ik meestal na afloop nog wel even. In de meeste clubs wordt het toch pas na twaalven gezellig. Naar welke clubs ga jij? Je gaat toch zeker af en toe wel ergens heen?'

'Niet naar clubs.'

'Zeker weten? Ook niet met mij?' Zijn ogen twinkelden.

Ze voelde zich onzeker worden en haalde haar schouders op. 'Misschien wel, dat ligt eraan.'

'Waaraan?'

'Dat weet ik niet. Gewoon. Ik ben niet tegen uitgaan of zo, ik heb er gewoon geen behoefte aan.'

'Maar als ik je mee uit vraag? Zeg je dan nee? Ik heb kaartjes voor een musical, aanstaande zaterdag. Heb je zin om daar mee naar toe te gaan?'

Ze aarzelde en Nico lachte. 'Vrijkaartjes, gekregen van een maat die daar in de techniek werkt. Je bent dus geen tweede keus. Ik was eigenlijk niet van plan om te gaan, maar ik bedacht ineens dat die musical wel iets voor jou was.'

Hij noemde de naam. Die voorstelling stond al heel lang op Nina's verlanglijstje, maar het was er nooit van gekomen, ook in Amerika niet.

Ze knikte. 'Ja, daar zou ik wel naar toe willen.'

'Goed, dat is dan afgesproken. Zullen we van tevoren een hapje gaan eten? En dan kunnen we na afloop naar een club.'

Nina had het gevoel dat hij haar voor het blok zette, maar vermaande zichzelf dat ze niet zo stijf moest doen. Wat was er mis met een avondje uit? Het kon best leuk zijn om Nico wat beter te leren kennen. En eerst iets eten en dan theater klonk nog redelijk veilig. Zo'n club leek haar niets, maar misschien moest ze dat ook maar eens gewoon proberen.

Hij lachte een beetje cynisch. 'Waarom moet je overal zo lang over na denken? Vertrouw je me niet?'

Geschrokken keek ze hem aan. 'Nee, ik bedoel, ja, natuurlijk vertrouw ik je wel. Ik ben gewoon niet zo goed in dit soort dingen.'

'Je gaat me toch niet vertellen dat je nog nooit een vriendje gehad hebt, hè? Dat geloof ik gewoon niet.'

'Ik heb wel een... soort van relatie gehad. Maar dat is niet zo goed afgelopen.'

'En daarom wil je nu helemaal niets leuks meer doen? Ik vraag je niet ten huwelijk of zo, hoor. Ik wil gewoon wel eens een avondje met je optrekken buiten werktijd. Geheel vrijblijvend. Lust je Turks?'

'Wat?' Ze had een beetje moeite zijn snelle gedachtesprongen bij te houden. 'Oh. Ik heb geen idee. Ik heb nog nooit Turks gegeten, eigenlijk. Maar ik lust bijna alles, dus ik vind het wel leuk om dat eens te proberen.'

'Mooi, dan reserveer ik een mooie tafel voor ons in mijn favoriete restaurant.'

Nina glimlachte. 'Dat lijkt me leuk.'

Hij lachte. 'Mooi zo. Mij ook.'

Een van de andere technici kwam het eethuisje binnen en liep regelrecht naar hun tafeltje. 'Ik dacht al dat je hier zou zitten. Je pauze is voorbij en we hebben je nu direct nodig.'

Nico stond op. 'Je ziet het, de plicht roept. En nog een behoorlijk uit de kluit gewassen plicht ook. Reken jij even af?'

Hij gooide een bankbiljet op het tafeltje en verliet met een dramatische buiging het restaurant. Nina keek hem peinzend na. Hij was leuk. Toch?

Hoofdstuk 5

'Ik wil niet naar school. Ik wil bij jou blijven.' Roos zette haar woorden kracht bij door zich midden op straat op de grond te laten vallen.

Nina tilde haar op. 'Dat kan niet, liefje. Alle kindjes moeten naar school.'

'Gijs en Stijn niet.'

'Die zijn nog klein. Jij mocht toch ook bij mama blijven toen je nog een baby was? Maar als zij vier zijn moeten ze ook elke dag naar school.'

'Ik vind school stom.'

Nina keek het meisje verbaasd aan. 'Dat meen je niet. Je vindt het altijd leuk op school.'

'Nu niet meer. Ik wil thuisblijven.'

'Maar wil je dan niet met Esmee spelen?'

Roos haalde nukkig haar schouders op. 'Esmee doet stom.'

'Hebben jullie ruzie? Maar dat komt wel weer goed, hoor. Echte vriendinnen maken af en toe ruzie.'

'Ik heb geen ruzie met Esmee. Esmee heeft ruzie met Tara. Dat vind ik stom. Stom, stom, stom!'

Het was duidelijk dat Roos moeite had woorden te vinden voor wat ze voelde. Nina kon zich daar wel iets bij voorstellen. Ze onderdrukte een glimlach en zei: 'Dat is ook stom. Maar daar heb jij toch niets mee te maken?'

'Jawel, want ze hebben ruzie over mij. Ze willen allebei naast me zitten en met me spelen.'

'Maar dat kan toch ook? Jullie kunnen toch met z'n drieën spelen?'

Roos keek haar twijfelend aan. 'Met z'n drieën?'

'Ja, waarom niet?'

'Tara zegt dat het niet kan. Tara zegt dat ik moet kiezen.'

Nina had zo'n vermoeden dat niet Tara zelf, maar haar moeder hier een rol in speelde. Ze had de vrouw na die eerste kennismaking niet meer gesproken, maar ze had van Renske gehoord dat Tara's moeder de laatste weken bijna irritant vriendelijk deed. En nu was ze dus blijkbaar aan het proberen Roos te claimen als vriendinnetje voor haar dochter. Nina durfde te wedden dat dat niet helemaal los stond van de toenemende bekendheid van Sofie, nu de eerste promotiefilmpjes voor de comedyserie op televisie te zien waren. Jammer dat zo iemand over de hoofden van onschuldige kinderen probeerde daar een graantje van mee te pikken.

'Weet je wat we doen? We gaan aan juf Manon vragen of ze erop wil letten dat Tara en Esmee geen ruzie meer maken. En misschien kan zij je ook helpen om met allebei te spelen, of eerlijk om de beurt.'

Roos moest even diep nadenken over dat voorstel, maar knikte toen. 'Dat wil ik wel. Esmee is mijn beste vriendin, maar Tara mag mijn bijna beste vriendin zijn. Kan dat?'

'Natuurlijk kan dat.'

'Tara wil mijn beste vriendin zijn. Maar ik vind Esmee liever. Tara is eigenlijk een zeurpiet.'

Nina lachte, maar hield verder haar mond. Het zou niet erg tactvol zijn als ze toegaf dat zij dat ook vond. Trouwens, eigenlijk wist ze niets over Tara. Ze had haar maar heel eventjes gezien. Maar het gedram om de aandacht van Roos kwam op haar niet echt positief over. Of zou Roos te gevoelig zijn? Ze besloot eerst maar eens zelf te kijken wat er nu eigenlijk aan de hand was.

Automatisch keek ze op het schoolplein om zich heen om te zien of er fotografen stonden. Ze had Roos de afgelopen maand een aantal keren naar school gebracht en het was twee keer voorgekomen dat er iemand stond. Ze had Renske gewaarschuwd, maar het enige wat die er over zei was dat ze Sofie erbuiten moesten houden. Over de man die had geprobeerd haar om te kopen had ze niets verteld. Blijkbaar was het een spontane ingeving geweest, want ze had hem daarna niet meer gesproken of gezien.

Vandaag stond er niemand bij de school die er niet hoorde. Gelukkig maar. Ze vond dit vriendinnenvraagstuk al ingewikkeld genoeg. Natuurlijk wist ze dat bij kleuters vriendschappen nogal heftig knipperend verloren, maar in dit geval leek er meer te spelen. Het liefst zou ze het hele verhaal aan Renske vertellen en het er verder bij laten. Gesprekken met lastige moeders waren haar sterkste kant niet, terwijl Renske haar mond prima kon roeren en af en toe moeite moest doen om haar scherpe tong in bedwang te houden. Toch mocht ze Renske graag. Nina was niet iemand die snel vriendschap sloot, maar met Renske leek het er toch op. En juist daarom wilde ze dit probleem zelf oplossen, want Renske had op dit moment wel iets anders aan haar hoofd. Het lanceren van haar nieuwe modelijn begon nu zulke vaste vormen aan te nemen dat er heel wat tijd in ging zitten.

'Daar is Tara.'

De anders zo zelfverzekerde Roos klonk zo timide, dat Nina medelijden kreeg.

'Als je niet met haar wilt spelen, hoeft het niet, hoor.'

'Ik wil met Esmee spelen.'

'Heb je Esmee al gezien? Dan gaan we naar haar toe.'

Nina was met Roos zo onopvallend mogelijk bij Tara en haar moeder vandaan gelopen, maar dat werkte niet. De vrouw trok haar dochter mee en ging pontificaal voor hen staan.

'Zag je ons niet? We zwaaiden nog wel. Misschien wist je het niet, maar Tara en Roos zijn tegenwoordig dikke vriendinnen.'

'Roos was op zoek naar Esmee.'

'Esmee? Daar hebben ze ruzie mee.'

'Nee, Tara heeft ruzie met Esmee. Tenminste, voor zover kleuters ruzie kunnen hebben. Dat duurt meestal niet langer dan een paar minuten.'

'In dit geval niet. Ik kan merken dat je al een tijdje niet op school geweest bent, dus ik zal het je uitleggen. Esmee legt een ontzettende claim op Roos. Ze weigert te accepteren dat Roos nu met Tara omgaat.'

'Ik had van Roos begrepen dat het een beetje anders ligt.'

'Onzin. Dan heeft dat kind weer op haar in zitten praten. Tara en Roos zijn net zusjes, zo *close* zijn ze.'

Nina keek naar de twee meisjes en zag dat ze elkaar onwennig aankeken. Een heel verschil met de manier waarop Roos normaal gesproken met Esmee omging. Zo te zien was haar eerste ingeving juist. Tara's moeder was de aanstichtster van het probleem. Maar hoe loste ze dat op?

'Ik weet je naam niet eens. Wat gek. We hebben zoveel gemeen dat wij ook best vriendinnen zouden kunnen worden. Zou dat niet leuk zijn voor de meisjes?' De vrouw stak haar hand uit. 'Ik ben Sara. Leuk hè? Sara en Tara. Dat hebben we expres gedaan.'

Nina onthield zich van commentaar. Zelf zou ze zo'n keuze niet maken, maar smaken verschillen nu eenmaal. Ze kon zich niet voorstellen dat Roos haar naam niet een paar keer had laten vallen, maar ze stelde zich beleefd voor. 'Nina Veldman.'

'Veldman? Dat klinkt Nederlands. Ik dacht dat je uit het buitenland kwam? Zo hoort dat toch bij au pairs?'

'Mijn vader is Nederlands, maar ik ben opgegroeid in Groot-Brittannië.'

'Oh, dat verklaart wel wat. Ik dacht dat het een manier was om de regels te ontduiken. Een au pair is voor de belasting voordeliger dan een gewone werknemer, toch?'

'Daar heb ik geen verstand van. Maar mijn paspoort is Brits, niet Nederlands. Ik ben dus een echte buitenlandse au pair.'

Nina hoopte maar dat Roos niet al te veel van het gesprek begreep, maar vreesde het ergste. Wat er letterlijk gezegd werd viel wel mee, maar de ondertoon was nogal venijnig en daar zijn kinderen nu juist erg gevoelig voor. Roos stond echter nog steeds verlegen naar Tara te kijken, tot haar blik viel op Esmee, die met haar moeder het schoolplein op kwam lopen.

'Daar is Esmee!' Ze rende naar haar vriendinnetje.

Nina zag dat Sara daar absoluut niet blij mee was, maar negeerde het en liep rustig achter Roos aan. Sara liet het er echter niet bij zitten en volgde hen, terwijl ze Tara meesleepte.

'Zal ik de kinderen tussen de middag meenemen voor een boterhammetje? Gezellig voor hen en lekker rustig voor jou.'

Nina schudde haar hoofd. 'Dat moet ik eerst overleggen.'

'Onzin. Trouwens, niemand hoeft het te weten. Of ze nu samen met jou eet, of bij ons, dat maakt toch niets uit? Of beschermen ze dat kind zo erg dat ze geen kans krijgt om afspraken te maken?'

'Ze eet niet samen met mij, we eten met Sofie en Renske. Roos mag best afspraken maken, maar niet vandaag.'

'Vanmiddag dan?'

'Vanmiddag heeft ze al een andere afspraak.' Met Diederik. Tot haar irritatie voelde ze iets kriebelen in haar maag. Dat werd steeds erger, terwijl ze amper contact met hem had. Het was onzinnig. Ze kon onmogelijk verliefd op hem zijn. Waarom voelde ze dit soort dingen niet voor Nico? Het zou zoveel gemakkelijker zijn als ze voor hem voelde wat Diederik bij haar teweeg bracht.

Met wat moeite richtte ze zich weer op haar werk. Het moest niet gekker worden. Nu stond ze nog te dagdromen ook. En ze had Roos nog wel beloofd met de juf te praten. Ze was er nu in ieder geval wel zeker van dat het nodig was. Inmiddels had Tara's moeder haar dochter alweer tussen de twee andere meisjes gemanoeuvreerd en Roos keek Nina wanhopig aan.

Nina glimlachte geruststellend en keek om zich heen. Waar was Manon? Ze zag de onderwijzeres in een hoekje staan, met een paar kinderen aan haar armen en liep naar haar toe.

'Kan ik je even spreken?'

Manon glimlachte. 'Natuurlijk, Nina. Is er iets aan de hand?' Met zachte hand stuurde de lerares de kinderen weg.

Nina aarzelde. 'Ik weet het eigenlijk niet. Maar Roos wilde vanochtend niet naar school.'

'Roos? Dat verbaast me. Ze heeft het altijd zo naar haar zin.'

'Precies. Daarom wilde ik het toch even bespreken.'

'Heb je enig idee waardoor het komt?'

'Ja. Ze zegt dat Tara en Esmee ruziemaken over haar en daar kan ze niet zo goed mee omgaan. Esmee is haar beste vriendin, maar Tara...'

'Tara heeft een beetje moeite met contact maken. Ik vond het juist zo fijn te zien dat ze zich eindelijk bij een paar andere kinderen had aangesloten.'

'Ik ben bang dat ze dat vooral doet omdat haar moeder het wil. Er is verder weinig interactie tussen die twee. Ik heb tegen Roos gezegd dat ze best met z'n drieën vriendinnen kunnen zijn, maar ze zegt dat Tara beweert dat ze moet kiezen.'

'Dat lijkt me nogal overdreven.'

'Tara's moeder zei daarnet ook dat Esmee maar moet accepteren dat Tara en Roos nu vriendinnen zijn.'

Manon fronste. 'Ik begin te begrijpen waarom je je zorgen maakt. Ik zal het in de gaten houden, maar ik wil geen vriendschappen gaan stimuleren of afkappen. Wat zegt Roos er zelf over?'

'Dat Esmee haar beste vriendin is en Tara haar bijna beste vriendin, maar wel een beetje een zeurpiet. Dat zei ze letterlijk.'

'En dat is duidelijk. Maak je geen zorgen. Ik zal er in ieder geval op letten dat Roos niet steeds tussen twee vuren zit.'

'Graag. Ze lijkt heel zelfverzekerd, maar voor dit soort dingen is ze heel gevoelig. Oh, kijk. Daar gaan ze weer.'

Nina zag nog net dat Tara Esmee een harde duw gaf. Roos stond er bleekjes en verdrietig naast. Vlug liep ze ernaar toe. Tot haar verbazing zag ze dat Sara erbij stond, maar niet ingreep. Nina negeerde haar en sloeg haar arm om Roos heen.

'Ze doen weer stom, Nina. Waarom doen ze dat?'

'Ik weet het niet, liefje. Maar juf Manon gaat ons helpen het op te lossen. Kijk maar.'

Geroutineerd haalde Manon de twee ruziemakers uit elkaar en nam ze mee naar binnen. Sara liep er driftig achteraan.

'Waar is Esmees moeder?'

'Die moet vandaag werken. Dan gaat ze heel snel weg, voor we naar binnen mogen. Dat doet mama ook wel eens als ze het druk heeft.'

Nina vermoedde dat Sara juist die dagen uitkoos om zich met de drie meisjes te bemoeien. Ze zou het er met Renske over hebben. Die vond het vast geen probleem om een paar minuten langer op het schoolplein te blijven. Het was meer een gewoonte die ontstaan was, omdat Roos beweerde dat ze 'groot genoeg' was om 'alleen naar school te gaan'. Normaal gesproken was het meisje ook erg zelfstandig en vol zelfvertrouwen, maar blijkbaar had ze nu toch echt wat meer steun nodig.

Om Roos op te vrolijken bleef ze bij haar tot de schoolbel ging en liep daarna ook met haar mee naar binnen. Manon wenkte Roos en Nina liep samen met het meisje naar haar toe.

'Tara en Esmee willen iets zeggen, Roos.'

Tara knikte alleen maar, maar Esmee zei: 'Wij zullen geen ruzie meer maken. Juf zegt dat je daar verdrietig van wordt.'

'We zullen omstebeurt met jou spelen,' vulde Tara aan. Dat hield dus in dat Tara, of eigenlijk Sara, toch weer gewonnen had. Maar Roos leek tevreden met deze oplossing, dus liet Nina het er maar bij. Ze nam zich wel voor met Renske over dit probleem te praten, zodat die het ook in de gaten kon houden.

Peinzend nam ze afscheid van Roos, die nu in ieder geval weer wat vrolijker keek. Ze hoopte maar dat het vandaag goed ging, want eigenlijk was er niet echt iets opgelost. En dat zou ook niet gebeuren, tot Sara stopte met haar pogingen om haar dochtertje naar voren te schuiven. Nina draaide zich om en keek nog even naar de drie meisjes. Manon had gezegd dat Tara moeite had met contact maken. Dat had haar wel een beetje geraakt, want daar wist ze alles van. Zelf was ze een vrij eenzaam kind geweest, dat geen aansluiting had kunnen vinden bij haar klasgenootjes. Misschien had ze Sara wel verkeerd beoordeeld. Het was ook wel een beetje paranoïde om te denken dat iemand zich druk zou maken om het dochtertje van het zusje van een bekende Nederlander. Misschien wilde Sara echt wel gewoon zorgen dat Tara eindelijk ook een paar leuke vriendinnen kreeg.

Nina schrok op toen ze op haar schouder getikt werd.

Sara vroeg: 'Ga je mee koffie drinken? Het lijkt me gezellig om te kletsen over het werken als au pair. Ik heb een hoop rare dingen meegemaakt, dat wil je niet weten.'

Dat wilde Nina inderdaad niet weten, maar dat zei ze maar niet.

'Ik moet naar huis.'

'Ach kom, je hebt toch recht op vrije tijd?'

'Ja, maar niet nu. Ik ben aan het werk. Sofie heeft een afspraak en ik moet op de tweeling passen.'

'Kom dan later en neem ze mee. Geen probleem.'

'Nee, sorry. Vandaag in ieder geval niet.'

'Morgen dan?'

Nina onderdrukte een geërgerde zucht. Hoe kwam ze hier onderuit? Wat was ze toch verschrikkelijk slecht in dit soort dingen.

'Ik denk het niet. Ik heb het druk overdag.'

'Maken ze misbruik van je? Pas maar op. Juist dit soort mensen doet dat.'

Dit soort mensen? De verbazing stond blijkbaar op Nina's gezicht te lezen, want Sara verduidelijkte: 'Je weet wel, bekende mensen.

Die denken dat ze alles kunnen maken omdat ze meer geluk hebben gehad in het leven.'

Het klonk venijnig. Nina haalde haar schouders op. 'Ik heb daar geen last van. Ze zijn allemaal heel vriendelijk.'

'Je hebt toch meer gezinnen gehad? Was het daar ook zo gemakkelijk? Dan heb je het beter getroffen dan ik. Ik had mensen die een paar honderd jaar geleden geboren hadden moeten worden. Stelletje slavendrijvers waren het. Ik moest dag en nacht op die kinderen passen. En dat waren ook behoorlijke krengen. Dat kan niet anders met zulke ouders.'

'Wat vervelend voor je.' Nina draaide zich om. 'Ik moet nu echt weg. Tot ziens.'

Ze wachtte niet op antwoord en zette er flink de pas in. Ze wist niet wat ze van Sara moest denken. Haar eerste indruk was niet goed geweest en eigenlijk was het alleen maar slechter geworden. Maar misschien was het wel waar dat zij alleen maar geluk had gehad. Hoe veranderde je als je zo'n slecht gezin trof? De meeste meisjes gingen een jaar als au pair werken rond hun zeventiende en dat was een heel gevoelige leeftijd. Er werd wel vaak voor gewaarschuwd en veel over gepraat, maar Nina had het zelf niet meegemaakt en kende ook niemand die zulke nare ervaringen had. Of maakte Sara het erger dan het was? Kleine kamertjes, weinig vrije tijd, mensen die een beetje op je neerkeken... in Nina's ogen hoorde dat er gewoon bij. Met Sofie en Renske was de relatie heel anders, maar dat was een uitzondering. De andere gezinnen waar ze gewerkt had, waren minder leuk geweest, maar niet zo erg dat ze er door verbitterd geraakt was.

Pas de laatste keer was het fout gegaan, maar dat was haar eigen schuld geweest. Ze had verstandiger moeten zijn. Maar hoewel ze destijds wel al een paar jaar ervaring had als au pair, was haar ervaring met mannen minimaal geweest. Dus was ze als een baksteen voor Andrew gevallen, zonder erbij stil te staan wat de consequenties konden zijn.

'Kijk jij altijd zo serieus?' De fotograaf die haar geld had aangeboden keek haar spottend aan.

'Nee. En laat me met rust.'

'We hebben nog geen deal.'

'Die gaan we ook niet maken.'

'Dat denk ik toch wel.'

'Nee. Ik verkoop geen verhalen over de mensen waar ik werk.'

'Dat heb je eerder wel gedaan. Dus waarom nu niet?'

'Dat was ik niet. Dat was een stom misverstand. En verder heb je er niets mee te maken. Ga weg!'

Hij trok een verongelijkt gezicht. 'Je hoeft niet zo bits te reageren, ik doe gewoon mijn werk.'

'Oh ja? Is dat hoe jullie aan je verhalen komen? Mensen omkopen, betalen voor leugens?'

Hij haalde zijn schouders op. 'Niet altijd. Maar het werkt wel.'

'Bij mij niet. Laat me met rust. En laat Roos met rust.'

'Want anders? Kind, je kunt me toch niet tegenhouden.'

'Wel als je leugens plaatst. Dan stap ik naar de rechter. Of anders regelen Marco en Peter dat wel.'

'En wat doe je dan als ik hen vertel over je leuke kleine misstapje? Denk je echt dat ze je dan nog vertrouwen?'

Nina keek hem geschrokken aan. 'Zover zou je niet gaan. Dat is chantage.'

'Als het moet, gebruik ik alle middelen. Denk er maar over na. Ik heb de tijd. Ik kom er nog op terug.'

'Liever niet.'

Hij lachte spottend en liep weg. Maar niet zonder zijn camera op haar te richten. Dit begon uit de hand te lopen. Misschien was het het beste om Renske en Sofie direct te vertellen wat er in haar vorige gezin gebeurd was. Dan had hij geen poot meer om op te staan...

Diep in gedachten arriveerde Nina bij het huis, waar Renske de deur opentrok zodra ze haar hand uitstak naar de deur.

'Gelukkig, je bent er. Je had je mobiel hier laten liggen, dus ik kon je niet bereiken.'

'Oh, wat stom.' Nina kleurde, maar Renske haalde haar schouders op.

'Kan gebeuren. Maar ik kon je dus niet bellen om te zeggen dat de plannen voor vandaag veranderd zijn. Die grote fotoshoot van morgen is verplaatst naar vandaag, omdat de fotograaf een dubbele afspraak had. Hij zit de rest van de maand volgeboekt dus we hebben niet veel keus.'

Nina wist dat het ging om een reportage voor een belangrijk tijdschrift, waarin Sofie Renskes collectie zou tonen.

'Ik zal gauw helpen de spullen voor de tweeling in te pakken.'

'Heb ik al gedaan. Het leek ons het handigst als wij de jongens meenemen en jij Roos opvangt. Ik moet er wel bij zijn, nou ja, dat wil ik graag, maar ik kan best op de baby's passen terwijl Sofie bezig is. En dan hoeven we niets te regelen voor Roos, want die is de laatste paar dagen al een beetje van slag.' Ze zuchtte. 'Weet jij waarom? Ik kan er geen hoogte van krijgen.'

Nina knikte. 'Gedoe met vriendinnetjes. Ik heb er al met Manon over gepraat, die zou er een oogje op houden.'

Renske wilde duidelijk nog verder vragen, maar Sofie kwam naar buiten met de twee autostoeltjes in haar handen.

'Ben je klaar, Rens? We moeten echt opschieten. Oh Nina, gelukkig, daar ben je. Je mobiel ligt nog in de huiskamer.'

'Ja, het spijt me. Zo stom van me.'

'Dat kan toch gebeuren? Het kwam alleen een beetje lastig uit. Normaal gesproken zou het geen probleem zijn geweest.'

'En ik ben nog later ook. Het spijt me. Ik werd opgehouden.'

'Geen probleem. Echt niet. Maak je niet druk.' Sofie zette al pratend de stoeltjes vast en draaide zich toen om, zodat ze Nina aan kon kijken. Ze trok verbaasd haar wenkbrauwen op bij het zien van Nina's gezicht en glimlachte geruststellend.

'Niet zo verschrikt kijken. Er is echt niets aan de hand. Dit hoort nu eenmaal bij ons leven. Ik doe mijn best om de chaos zoveel mogelijk te beperken, maar af en toe hebben we zo'n dag.'

'Daar kan ik wel tegen, hoor.'

'Gelukkig maar. Vanmiddag haalt Diederik Roos uit school en als het goed is zijn wij er weer tegen de tijd dat hij haar terugbrengt. Als dat niet lukt geef jij hem wel koffie, hè? Laat hem niet weggaan zonder, dat vind ik zo ongastvrij. En je bent er een keer in geslaagd hem te laten blijven voor het eten... Het zou mooi zijn als dat weer lukte.'

'Ik zal mijn best doen, maar hij is nu eenmaal niet zo sociaal ingesteld.' En zij was niet bepaald de aangewezen persoon om daarbij te helpen. Als Nina eerlijk was, zou ze zelf precies zo reageren als hij. Ze kon zich heel goed voorstellen dat hij zich niet op zijn gemak voelde bij de familie van zijn dochter en daarom maar liever zo snel mogelijk wegging. Het waren lieve mensen en zij voelde zich er zelf heel erg thuis, maar voor hem lag het toch allemaal wat moeilijker.

'En rust verder gewoon even lekker uit. We laten je veel te hard werken.'

'Dat valt wel mee, hoor.'

'Volgens mij ben je nog geen enkele keer de stad in geweest.'

'Dat is mijn eigen keuze. Ik winkel niet zo graag.' Ze lachte. 'Maar ik ben bijna door mijn voorraadje wol heen. Ik heb het adres van een grote wolwinkel in de buurt en daar wil ik wel graag eens rondneuzen.'

Renske kwam de deur uitrennen. 'Klaar.'

'Mooi, dan gaan we. Tot vanavond, Nina.'

Nina keek de auto na en liep toen naar binnen. Ondanks Sofies vermaningen keek ze eerst even in de babykamer of daar nog iets te doen was, maar die was netjes opgeruimd. In de huiskamer was Maria bezig met schoonmaken. Ze had blijkbaar grootse plannen, want alles stond op zijn kop.

'Kan ik je ergens mee helpen?'

'Nee, lieverd, het gaat prima. Ga jij maar lekker uitrusten.'

Nina fronste. Wat was dat toch, dat mensen haar direct zo beschermend behandelden? Ze was ijzersterk en ze had vandaag nog amper iets gedaan.

De deurbel ging.

'Ik ga wel!' Ze had er een hekel aan de deur open te doen, omdat de meeste mensen toch voor Sofie, Marco of Renske kwamen, maar dan deed ze tenminste nog iets nuttigs. Tot haar verbazing was het Diederik. Ze negeerde de kriebels die ze alweer in haar buik voelde en zei rustig: 'Hallo.'

'Hoi, Nina.' Ze kreeg even de indruk dat hij ook van slag was, maar dat verbeeldde ze zich natuurlijk.

'Is Renske thuis?'

'Nee, sorry. Sofie en Renske moesten onverwachts weg. Alleen Maria en ik zijn er.'

'Oh... tja. Dan kan ik misschien beter later... Of ik bel wel...'

'Je komt toch vanmiddag? Als je met Roos naar de bibliotheek geweest bent?'

'Dat is het probleem. Ik...'

'Kom even binnen. Wil je koffie of zo?' Dat klonk niet zo vlot als Nina zou willen. Maar Diederik leek het niet te merken. Hij glimlachte, waardoor zijn stugge gezicht oplichtte.

'Graag. Mijn koffiezetapparaat is kapot. Ik snak naar een bak sterke koffie.'

'Maria is in de huiskamer bezig. Vind je het erg om mee te lopen naar de keuken?'

'Natuurlijk niet.'

Hij liep achter haar aan naar de grote woonkeuken. Nina vulde snel het koffiezetapparaat. Hoewel Sofie en Renske het liever niet hadden, had ze de afgelopen tijd regelmatig bijgesprongen bij dit soort huishoudelijke klusjes. Ze wist dus gelukkig hoe het vrij ingewikkelde koffiezetapparaat werkte.

'Vind je de normale koffie hier sterk genoeg, of mag het sterker?' Weer die onverwachte glimlach.

'Sterker. Ik heb echt een shot cafeïne nodig. Blijkbaar ben ik aan dat spul verslaafd. Schandalig eigenlijk voor een arts.'

'Ik heb wel eens gehoord dat het aantal rokers onder artsen en verplegend personeel groter is dan in welke bedrijfstak dan ook.'

'Dat zou best kunnen. Het zal wel te maken hebben met de werk-druk.' Hij liet zich met een zucht op één van de stoelen bij de keukentafel zakken. 'Dat is dan ook meteen de reden van mijn komst vanochtend. Mijn rooster is aangepast, dus ik kan vanmid-dag Roos niet ophalen.'

'Dat zal ze jammer vinden.'

'Denk je dat?' Het klonk schamper.

'Dat weet ik zeker. Ze verheugt zich altijd erg op jullie afspra-ken.'

'Maak dat de kat wijs. Het is al heel wat dat ze mee wil. Een half-jaar geleden was ze bang voor me.' Hij haalde zijn schouders op. 'Daar had ik het wel naar gemaakt, natuurlijk. Maar ik betwijfel of ze me echt zal missen als ik helemaal niet meer kom.'

'Ze is je dochter.'

'Dat weet ze niet.'

'Nog niet. Renske wil het haar wel vertellen, maar ze weet niet hoe. Het grappige is dat Roos er totaal niet over nadenkt dat ze geen vader heeft. Ze is geobsedeerd door het idee dat Peter en Renske gaan trouwen, maar ik heb haar nog nooit vragen horen stellen over vaders en moeders en dat soort dingen.'

'Dat komt nog wel.'

'Of ze accepteert het gewoon. Roos is heel slim en kinderen snappen sowieso meer dan je denkt.'

'Misschien wel, maar dit is een ingewikkeld verhaal. Heb je erva-ring met dit soort samengestelde gezinnen?'

Nina lachte. 'Mijn vorige gezin bestond uit een baby van mevrouw en meneer samen, drie kinderen van mevrouw die bij hen woonden en een zoon van meneer die in de weekenden kwam. En dan was er nog een veel jongere broer van mevrouw die juist doordeweeks bij ons woonde, omdat hij daar vlakbij studeerde en in het weekend naar huis ging.'

'Volle bak.'

'Valt wel mee. Het huis was zeker vijf keer zo groot als dit.'

'En dit is al enorm.'

'Niet naar Amerikaanse begrippen. Maar het is wel ruim genoeg voor ons allemaal.'

'Dat lijkt me wel, ja.' Weer die schampere toon. Diederik vervolgde: 'Ik durf te wedden dat jouw dienstbodenkamertje drie keer zo groot is als mijn eenkamerflatje.'

'Waarom zeg je dat zo onvriendelijk? Ik ben erg blij met mijn mooie kamer en ik kan er niets aan doen dat jouw flat zo klein is.'

Verbluft keek Diederik haar aan. Toen schoot hij in de lach. 'Je hebt nog gelijk ook. Ik ben een zeikerd. Negatief en eigenlijk af en toe gewoon jaloers op mensen die het beter hebben.'

'Daar heb je alleen jezelf mee.'

Nina draaide zich om en schonk een beker koffie voor hem in. Ze voelde dat haar wangen langzaam steeds roder werden. Waarom had ze dat laatste er dan ook uitgeflapt? Het was zo, maar wie was zij om hem de les te lezen?

Diederik reageerde niet. Toen ze de koffie voor hem neerzette, knikte hij kort en begon er afwezig in te roeren. Nina pakte voor zichzelf een glas water en ging tegenover hem zitten, terwijl ze haar hersens pijnigde over een veiliger onderwerp van gesprek.

Waarom vond ze dit soort dingen toch zo ingewikkeld? Renske babbelde de hele dag over van alles en nog wat, maar bij haar leek haar tong letterlijk in de knoop te raken als ze probeerde over koetjes en kalfjes te praten.

En blijkbaar was Diederik er ook niet echt goed in. Hij dronk zwijgend zijn koffie op en deed geen enkele poging om het gesprek weer op te pakken. Wanhopig staarde ze naar het tafelblad, tot ze Diederik hoorde grinniken.

Verbaasd keek ze op. 'Waarom lach je?'

'Je keek zo schuldbewust. Net een klein meisje dat iets doms gedaan heeft.'

'Ik had dat niet moeten zeggen. Maar ik ben geen klein meisje.'

Ze had er een hekel aan als mensen haar jonger schatten dan ze was. Meestal betekende dat meteen ook dat ze haar niet serieus namen.

Zijn mobiel ging voor hij antwoord kon geven.

'Sorry, ik moet opnemen. Ik ben oproepbaar.'

Ze knikte en stond op om hem nog een kop koffie in te schenken, wat haar een dankbare knipoog opleverde.

'Ja, ik kom er zo aan. Ik ben dicht bij het ziekenhuis, een kwartiertje, denk ik.'

Hij hing op. 'Spoedgeval.' Met een zucht nam hij een slok koffie. 'Ik moet er zo vandoor.'

'Zo? Ik zou denken dat je meteen weg moet als er levens op het spel staan.'

Diederik haalde zijn schouders op. 'Zo dramatisch is het niet. Die paar minuten doen er meestal niet echt toe. En die haast leer je vanzelf wel af. Kijk niet zo afkeurend. Ik drink mijn koffie op, zodat ik helder ben en dan spring ik op de fiets. Als ik nog thuis geweest was, had het langer geduurd voor ik er was.'

'Oh, oké. Eh... wat kan ik tegen Roos zeggen? Maak je een nieuwe afspraak met haar? Ik weet zeker dat ze het echt heel jammer vindt om je niet te zien.'

Hij dacht even na. 'Ik zou zaterdag kunnen, maar ik weet niet of Renske dan al plannen heeft. Zeg maar dat ik er morgen over zal bellen.'

'Fijn. Roos heeft die zekerheid nodig. Het gaat al niet zo lekker de laatste paar dagen.'

Nu zag ze toch echte belangstelling op zijn gezicht.

'Is ze ziek? Nee, toch?'

'Nee, dat niet. Gedoe met vriendinnetjes. Een van de moeders probeert haar dochter naar voren te schuiven ten koste van een ander meisje en die twee maken ruzie over Roos.'

Diederik snoof minachtend. 'Meisjesgedoe, dus. Daar kan ik haar toch niet mee helpen.' Hij zette zijn beker neer en stond op. 'Nu ga ik rennen.'

Bij de deur draaide hij zich om. 'Bedankt voor de koffie.'

Ze knikte zwijgend. Toen ze de voordeur hoorde dichtslaan, liet ze zich met een diepe zucht op een van de stoelen zakken. Wat een raar gesprek was dat geweest. Ze kon echt totaal geen hoogte van hem krijgen. Soms behandelde hij haar als een dom, klein kind, maar er waren ook momenten waarop ze het idee had dat ze wel degelijk echt contact hadden. Of verbeeldde ze zich dat maar?

Geïrriteerd stond ze op. Ze leek wel een puber met haar gepieker over een man die ze toch nooit kon krijgen. Stel je voor, Diederik, de briljante, hoogbegaafde arts en onderzoeker, met een meisje als zij. Dat zou nooit kunnen werken.

Hoofdstuk 6

De ochtend sleepte zich voorbij. Nina had normaal geen problemen om zichzelf te vermaken, maar ze voelde zich nutteloos en lui terwijl ze Maria hoorde zingen tijdens het werk. Ook een tweede poging om hulp aan te bieden werd resoluut afgewezen, dus had ze zich in haar eigen kamer teruggetrokken met haar breiwerk. Op deze manier moest ze vanmiddag wel naar de wolwinkel, bedacht ze terwijl ze de laatste draadjes afhechtte. Ze had een flinke tas garen meegebracht uit Amerika, maar alles was op, zelfs de restjes. Dat was het leukste van werken met baby's. Slofjes en mutsjes breiden zo heerlijk weg, en meestal werden ze dankbaar ontvangen. Zelfs door haar hooghartige vorige werkgeefster, die het bijzonder vond te pronken met het handwerk van haar au pair. In Amerika was het niet zo moeilijk om voor een redelijke prijs goede wol te vinden. Nina was benieuwd of dat hier ook zo was. Ze hield niet van winkelen via internet, omdat ze haar materiaal graag wilde voelen voor ze besloot het te kopen. Misschien kon ze vanmiddag even gaan kijken, als ze met Roos geluncht had. Of zou Roos het leuk vinden om mee te gaan? Misschien vergoedde dat de gemiste afspraak met haar vader een beetje.

'Diederik moet heel vaak werken.' Het was geen verwijt, meer de constatering van een feit.
'Hij vond het echt heel jammer dat hij vanmiddag niet met je naar de bibliotheek kan. Morgen belt hij om iets anders af te spreken.'
'Soms vergeet hij dat.' Nu keek Roos wel verdrietig. 'Denk je dat hij het nu niet vergeet?'

'Ik hoop dat hij het niet vergeet, maar hij heeft het heel erg druk. Maar dan kun je hem toch zelf bellen?'

Roos keek haar even verbaasd aan en knikte toen verheugd. 'Ja, dan zeg ik: ik wil nieuwe boekjes halen. Heb je vandaag tijd?'

Nina lachte. Ze vroeg zich af of het Roos alleen om die boekjes ging, maar zag geen kans om dat tactvol te vragen. Tot haar grote opluchting ging het meisje echter verder: 'En als hij alleen maar tijd heeft als de bibliotheek dicht is, dan vraag ik of hij mee gaat naar de speeltuin. Dat is ook leuk. Of vindt Diederik dat niet leuk?'

'Ik weet het niet, maar ik denk dat hij het vooral leuk vindt om bij jou te zijn.'

'Diederik is eigenlijk mijn papa, wist je dat? Maar mama en hij willen niet trouwen. Mama vindt Peter veel liever. Ik eigenlijk ook, maar Diederik is soms ook lief. En hij is toch mijn papa.'

'Dat klopt. Misschien moet je dat ook maar eens tegen hem zeggen.'

Zie je wel, Roos wist het gewoon en had het op haar eigen manier een plekje gegeven. Er was helemaal geen reden om daar zo moeilijk over te doen. Nina nam zich voor dat Renske zo snel mogelijk te vertellen.

'Tara zegt dat mama mij niet wilde. Dat ik er per ongeluk ben.'

Roos keek Nina met grote ogen aan. Die beet op haar lip. Dat was een veel lastiger onderwerp. Wat moest ze hier nu mee? Natuurlijk was het Tara weer. Ze nam aan dat Sara niet de moeite genomen had een blad voor haar mond te nemen terwijl ze met wie dan ook roddelde over het feit dat Renske nog maar heel jong was toen Roos geboren werd.

'Ik denk dat je hier met mama over moet praten, Roos. Die kan het je beter uitleggen dan ik.'

'Ja, maar ik wil niet dat mama verdrietig wordt. Mama en Sofie worden altijd verdrietig als mensen dingen over ze zeggen.'

Wat was het toch een bijdehand kind. Dat had ze heel goed door. Maar het was wel een zware last voor zo'n uk. Nina zag Roos' lip trillen en zakte door haar knieën om haar te knuffelen.

'Je mama is heel gelukkig met jou. Dat weet je toch wel?'

'Behalve als ik stout ben.'

'Dan is ze nog steeds gelukkig met jou, maar mama's moeten nu eenmaal af en toe boos worden als kindjes stoute dingen doen.'

'Ja, anders leren ze er niet van.'

'Precies.'

Blijkbaar was Roos klaar met het onderwerp, want ze duwde Nina een stuk papier in haar handen.

'Ik heb een tekening gemaakt. Kijk, dat is een paard.'

Nina knikte. 'Dat zie ik. Wat heb je dat knap gedaan, zeg!'

'Ik kan nog niet zo goed tekenen als mama. Maar dat wil ik wel leren.'

'Nou, ik vind dit al prachtig.'

'Je mag hem wel hebben.'

'Dat is lief van je. Dan hang ik hem boven mijn bed.'

'Echt waar? Of zeg je dat gewoon?'

Nina lachte. 'Nee, ik meen het. Je mag me helpen. Mama en tante Sofie zijn niet thuis, dus we eten samen met Maria. Maar eerst gaan we de tekening ophangen.'

Omdat Roos het een geweldig idee vond om mee te gaan naar de wolwinkel en daar wol voor een vest uit te zoeken, had Nina 's middags weer een paar uurtjes alleen door te brengen. Maria was klaar met haar werk, dus het huis was verlaten. Helemaal prettig vond Nina dat niet. Normaal was er altijd wel iemand thuis, maar nu was het wel erg stil en eenzaam.

Het geluid van haar mobiel doorbrak de stilte. Ze gebruikte het ding eigenlijk alleen voor noodgevallen, dus ze nam op met een angstig voorgevoel. Maar tot haar verbazing hoorde ze een vrolijke stem zeggen: 'Hoi, met Nico!'

'Nico?'

Hij lachte. 'Je klinkt wel heel erg verbaasd. Je weet toch wel wie ik ben? Nico, de geluidsman. We hebben maandag nog samen gegeten. Nico, met wie je zaterdag een date hebt.'

'Ja, dat weet ik wel. Ik wist alleen niet dat je mijn nummer had.'

'Van Sofie gekregen. Nou ja, stiekem in haar agenda gekeken, eigenlijk. Vind je het erg?'

'Nee, niet echt. Ik schrok alleen. Ik gebruik mijn telefoon alleen om bereikbaar te zijn voor noodgevallen en ik dacht dat er iets met Roos was.'

'Roos? Oh, het dochtertje van Renske. Welnee, ik ben het maar. Ik bedacht me dat we geen tijd hadden afgesproken. Denk je dat zes uur lukt? Of is dat te vroeg?'

'Ik denk dat het wel kan. Ik moet het nog even overleggen.'

'Heb je dat nog niet gedaan?'

'Nee, vergeten.'

'Je eerlijkheid breekt mijn hart.'

'Het spijt me. Ik heb het druk gehad.'

'Maar je hoeft toch ook niet te overleggen? Je bent toch gewoon vrij op zaterdag?'

'Ja, maar als ik toch thuis ben, pas ik wel eens op. Ik weet dus niet of ze daarop rekenen. Waarschijnlijk niet, maar ik wil het toch even overleggen.'

'Je laat je misbruiken.'

Weer iemand die dat beweerde. Ze begon dat toch behoorlijk zat te worden en zei vrij bits: 'Niet waar. Dat is mijn eigen keus. Ga er maar van uit dat het goed is. Ik bel je wel als het echt niet kan.'

'Ik wilde je niet beledigen, hoor. Het was gewoon een waarschuwing. Het begint met een keertje oppassen omdat je toch thuis bent, en voor je het weet zit je zeven dagen per week vierentwintig uur per dag op hun kinderen te letten.'

'Daar let ik zelf wel op. En sorry als ik een beetje kortaf reageer, maar je bent niet de eerste vandaag die me denkt te moeten waarschuwen. Alsof Sofie en Renske zoiets zouden doen. Ze behandelen me alsof ik familie ben.'

'Wat inhoudt dat je geen vaste werktijden hebt.'

'Nee, wat inhoudt dat ik er gewoon bij hoor en eerder vertroeteld dan misbruikt wordt. En ik begrijp eerlijk gezegd niet waarom zoveel mensen durven te beweren dat het anders zou zijn.'

'Oké, oké, ik zal er verder mijn mond over houden. Zaterdag zes uur dus?'

De toon van dit telefoongesprek was alles behalve prettig geweest en Nina had eigenlijk helemaal niet zo'n zin meer in het uitje. Maar ze hield zich voor dat ze niet zo flauw moest doen. Ze was gewoon chagrijnig door het geklets van Sara en daardoor reageerde ze te gespannen op een losse opmerking van Nico. Dat betekende niet dat het niet gezellig zou zijn om met hem uit te gaan.

'Ja, prima. Weet je het adres?'

'Ja.' Hij grinnikte. 'Ook gepikt uit Sofies agenda. Tot zaterdag!'

Toen hij had opgehangen stopte Nina langzaam haar telefoon terug in haar zak. Er was iets niet helemaal goed, maar wat? Ze wilde dat ze op haar intuïtie kon vertrouwen. Maar die had ze niet echt. Tenslotte was ze er met Andrew met open ogen ingetrapt. En Nico had wel een beetje gelijk. Ze begon wel erg saai te worden. Die musical wilde ze graag zien en dat etentje was vast ook wel gezellig. En als het haar niet beviel kon ze altijd na de musical rechtstreeks naar huis gaan. Dat was wel vol te houden.

'Ik wil een rode trui. Nee, een roze. Of toch een blauwe.' Opgewonden sprong Roos op en neer. Of met streepjes in alle kleuren. Kan dat ook?'

Nina knikte. 'Dat kan wel, maar ik weet niet of je moeder dat zo mooi vindt.'

'Mama houdt van kleurtjes.'

'Dat is waar. Weet je, we kijken gewoon wat er is. Ik ben nog nooit in die winkel geweest. Misschien hebben ze wel alleen grijs,' vulde ze plagend aan.

'Dat vind ik niet mooi.' Roos keek haar teleurgesteld aan.

'Ik wel. Maar het was een grapje. Ik denk dat we voor jou wel iets gezelligers kunnen vinden, hoor.'

'Kleurtjes.'

'Ja, heel veel kleurtjes.'

Tevreden huppelde Roos aan haar hand mee. Tot Nina's opluchting was de winkel die ze op internet gevonden had inderdaad behoorlijk goed gesorteerd, al haalde het assortiment het niet bij de winkels die ze uit Amerika kende. Wat dat betreft was ze gewoon verwend, besefte ze. Ze maakte een praatje met de eigenaresse, die direct toegaf dat ze bepaalde merken wol niet had.

'Ik kan ze wel bestellen, maar mijn klantenkring is te klein om er een flinke voorraad van aan te houden. Ik probeer zo gevarieerd mogelijk in te kopen, maar ik kan me voorstellen dat het tegenvalt als je die grote *yarn shops* gewend bent.'

'Ik vind het juist erg meevallen. U hebt duidelijk goed nagedacht over wat u ingekocht hebt. Die enorme winkels lijken wel leuk, maar soms is het een beetje te veel van het goede. Ik ben niet zo goed in keuzes maken, denk ik.'

De blik van de verkoopster gleed over de selectie die Nina op de toonbank gelegd had.

'Volgens mij kun je dat prima. Heb je al projecten in gedachten?'

'Ja, die dunne lichte wol is voor shawls en die dikke zwarte voor een visserstrui voor een man.' Ze bloosde. Eigenlijk had ze geen idee of hij ervan gediend was, maar ze had een idee voor een trui waarvan ze dacht dat hij Diederik geweldig zou staan. En als hij die trui niet wilde hebben... dan had ze een probleem, want zowel Marco als Peter waren een stuk breder dan de magere Diederik. Maar dat zag ze dan wel weer. Misschien kon ze erachter komen wanneer hij jarig was en die trui via Renske en Roos geven. Dan zou hij niet kunnen weigeren. Ze was op het idee gekomen een trui voor hem te breien toen ze Renske commentaar had horen leveren op de trui die hij vaak droeg.

'Dat ding is tot op de draad versleten. Heb je echt niets beters?'

'Jawel, maar niets dat zo lekker zit. Mijn schoonzussen hebben me al van alles opgedrongen, maar deze trui blijft mijn favoriet. Het is ook nog eens echte wol die niet kriebelt. Dat vind je nergens.'

Nina had onopvallend het model van de trui bekeken en besloten dat ze die wel na kon maken. Het model was vrij eenvoudig en ze had gekozen voor een garen dat van bamboe gemaakt was. Dat stond erom bekend dat het zowel zacht als duurzaam was.

'En nu nog iets voor Roos. Ze wil graag heel veel kleurtjes, maar ik wil liever niet van die gevlamde wol, meer iets met streepjes in verschillende diktes en kleuren die bij elkaar passen.'

'Als een soort regenboog misschien? Ik heb hele mooie zachte wol waarmee dat zou kunnen.'

'Ik heb Roos beloofd dat ze zelf mag kiezen, dus...' Nina riep Roos, die gefascineerd naar de knopenkast had staan staren.

'Wat vind je van deze kleurtjes? Voor een vest met regenboog-strepen?'

Roos knikte ernstig.

'Dat vind ik heel mooi. Mag ik daar ook knopen op?'

'Natuurlijk. Heb je al mooie gevonden?'

'Ja. Deze.'

Tot Nina's verbazing was de keuze van Roos gevallen op grote houten knopen in de vorm van een zonnetje.

'Wat een goede smaak heb jij! Die passen er prachtig bij.' Het was wel duidelijk dat haar moeder modeontwerpster was, bedacht Nina, maar gewoontegetrouw zei ze dat niet. Ze had zich al vroeg aangewend dat soort opmerkingen voor zich te houden. Het was al lastig genoeg als mensen wel wisten wie de kinderen waar ze zorg voor droeg waren, maar ze ging ze zeker niet inlichten als ze dat niet doorhadden. Dan verspreidde het nieuws zich helemaal razendsnel en kon ze nergens meer normaal naar toe.

Nina kon haar irritatie dan ook nauwelijks onderdrukken toen ze bij het verlaten van de winkel Sara tegen het lijf liepen. Haar eerste gedachte was dat het leek of dat mens hen achtervolgde! Maar ze realiseerde zich dat ze zich nu eenmaal in een winkelstraat bevond en dat deze ontmoeting waarschijnlijk puur toeval was. Dus groette ze vriendelijk, maar zonder te stoppen. Ze hoopte dat het op die manier duidelijk was dat ze geen tijd had om een praatje te maken. Helaas was Sara niet echt gevoelig voor dit soort hints.

'Wat toevallig dat we jullie hier tegenkomen!'

'Ja, heel toevallig. We moeten naar huis. Tot ziens.'

Sara liet zich echter niet zomaar afschepen. Met een gemaakt lachje pakte ze de grote tas die Nina in haar handen had. Op de een of andere manier deed die lach Nina aan iemand denken. Maar aan wie?

'Je bent aardig aan het shoppen geweest. Laat eens zien wat je gekocht hebt? Dat is het leukste van winkelen, vind je niet? Aankopen showen.'

'Het is wol, daar is nog weinig aan te zien.'

'Wol? Oh, breiwol! Wat leuk! Ik wist niet dat je zo creatief was. Ik heb zelf echt twee linkerhanden. Ik blijf het proberen, maar het lukt niet.' Er verscheen een sluwe blik op Sara's gezicht. 'Zeg, misschien kun je het mij leren. Zou dat niet leuk zijn? Dan kunnen de meisjes spelen, terwijl wij handwerken. Zo knus!'

Nina lachte verlegen. 'Ik ben niet zo goed in uitleggen.'

'Oh, maar ik leer snel, hoor. Het is vooral voor de gezelligheid.'

Daarnet beweerde ze nog iets heel anders, besefte Nina. Ze schudde haar hoofd. 'Voorlopig heb ik daar geen tijd voor, het spijt me. Ik zag in de winkel een poster over een breiclubje, misschien is dat iets voor je?'

'Hè bah, nee. Dat lijkt me vreselijk truttig.'

'Net zo truttig als wanneer wij samen gaan zitten breien, lijkt me.' Nina schrok van haar eigen ongewoon vinnige uitval, maar ze dwong zichzelf Sara recht aan te blijven kijken. De opdringerigheid van die vrouw begon haar echt op de zenuwen te werken. 'We moeten nu echt gaan. Tot ziens.'

Ze moest zich beheersen om Roos niet mee te trekken, maar die had duidelijk ook geen behoefte gehad om contact met Tara te maken. De twee kinderen hadden elkaar weer zwijgend aan staan staren. Hoe kwam Sara er toch bij dat die twee vriendinnen konden worden? Roos was normaal heel gezellig met andere kinderen, maar met Tara maakte ze gewoon helemaal geen contact. Of was dat nu juist het probleem? Manons opmerking schoot haar weer te binnen. Als Tara echt zoveel moeite had om contacten te leggen, had ze wel medelijden met het kind. Ze wist tenslotte hoe moeilijk het was om er nooit echt bij te horen.

Zodra ze buiten gehoorafstand waren, vroeg ze aan Roos: 'Wilde je niet met Tara praten?'

'Ik vind Tara niet leuk. Ik wil niet dat ze mijn vriendin is.'

'Heeft Tara wel andere vriendinnetjes dan? Want het is toch een beetje zielig als ze altijd alleen is?'

'Tara wil eigenlijk met Annabel spelen. Maar dat mag niet van haar moeder.'

'Is Annabel Tara's vriendinnetje?' Het was eigenlijk niet netjes om een kleuter uit te horen, maar Nina wilde nu wel graag weten hoe het eigenlijk zat. Als dit waar was, had ze tenslotte reden om te denken dat het Sara vooral ging om Renske en Sofie.

'Ja, Annabel was Tara's allerbeste vriendin. Maar nu niet meer. Tara mag niet met haar praten.'

'En vindt de juf dat goed?' Was het niet de taak van een lerares om te weten wat er in haar klas omging?

'Annabel zit op een andere school. Moet ik met Tara spelen?'

'Nee hoor, als je daar geen zin in hebt, hoeft het niet.'

'Ik wil met Esmee spelen.'

'Morgen, op school.'

'Ik wil het nu.'

'Dat kan niet, liefje. We moeten naar huis.'

Ze zag dat Roos aanstalten maakte om eens flink te gaan drammen en voelde zich schuldig. Als zij niet had doorgevraagd, was het waarschijnlijk niet in Roos opgekomen dat ze nu op dit moment met Esmee wilde spelen. En het vervelende was, dat het nog niet helemaal duidelijk was hoe het zat. Waarom mocht Tara niet meer met haar vriendinnetje omgaan? Alleen maar omdat Sara bedacht had dat Roos een leukere vriendin was? Was er iets mis met die Annabel of had dat toch met Sofie te maken? Ze zuchtte. Het leek wel een soap op kleuterniveau.

'Ik wil naar Esmee!'

'Het is al half vijf, Roos, dat kan nu niet meer. We zullen kijken of je morgen een afspraak met haar kunt maken.'

'Ik wil nu!'

'Dat snap ik, maar we moeten naar huis. Misschien zijn mama en tante Sofie al thuis, dan kunnen we ze de mooie knopen laten zien die jij hebt uitgezocht.'

Roos aarzelde even, maar liet zich toen afleiden. 'En de kleurtjesdraden?'

'Ja, die laten we ook zien. Wat denk je, zouden ze het mooi vinden?'

'Tuurlijk! Mama houdt van kleurtjes.'

Nina lachte. Ze was blij dat Roos weer van het onderwerp vriendinnen afgeleid was.

Roos had de smaak van haar moeder goed ingeschat, want Renske reageerde heel enthousiast. 'Wat een prachtige kleuren! Kun je me uitleggen wat je er precies mee gaat doen? Heb je een patroon?'

'Nee, ik gebruik nooit patronen. Mijn oma heeft me verschillende basismodellen leren breien en daar varieer ik op.'

Zonder erbij na te denken pakte Nina een stuk tekenpapier dat rondslingerde en een potlood.

'Kijk, ik dacht dit model, met een ronde schouderpas. En dan de kleuren... die wilde ik verdelen in strepen die in breedte variëren.'

Ze legde de bolletjes op een rijtje om het effect te laten zien. 'Kijk, zoiets.'

Toen Renske en Sofie niets zeiden, maar haar verbluft aan bleven kijken, voelde ze zich onzekerder worden.

'Als je het erg lelijk vindt, moet je het zeggen, dan maak ik iets anders. Of helemaal niets. Het was maar een idee.'

'Nee, ik vind het prachtig. Maar besef jij wel dat je een bijzonder talent hebt?'

'Ik? Welnee. Ik brei gewoon. Ik kan niet eens patronen lezen.'

'Die trui die je nu draagt... heb je die ook zelf ontworpen en gemaakt?'

'Ja. Maar...'

'Ik dacht dat je hem in de winkel gekocht had. Hij is echt heel mooi.'

'Het is een heel simpele trui. Niets bijzonders.'

'Dat denk ik wel. Je hebt echt talent. Je zou er iets mee moeten doen.'

'Het is gewoon een hobby. Ik hoef er niets mee te doen, want ik hou van mijn werk.'

Sofie glimlachte geruststellend. 'Daar ben ik blij om, want ik zou je hulp nog niet kunnen missen. Maar je moet jezelf niet zo naar beneden trekken. Renske en ik hebben allebei behoorlijk verstand van mode en wat jij maakt stijgt echt ver boven het eenvoudige hobbywerk uit. Ik zou met liefde een behoorlijk bedrag voor die trui neerleggen.'

Nina schoot in de lach. 'Van mij mag je hem hebben, maar je bent een kop groter dan ik, dus ik ben bang dat hij veel te kort zou zijn.'

'Mag ik er dan eentje in mijn maat bij je bestellen? Ik meen het, ik vind hem ontzettend mooi.'

'Bestellen? Oh... ja, dat kan wel. Maar dan moet ik wel eerst op zoek naar de juiste wol. Ik weet niet of ik die hier kan krijgen.'

'Och, het heeft geen haast, maar ik meen het echt. Als je die wol kunt vinden, schiet ik het gewoon voor, dat is geen probleem. En maak je niet druk om de tijd. Ik begrijp dat breien tijd kost, dus ik zie wel wanneer het af is.'

Nina knikte. Ze was sprakeloos. Hoewel ze wist dat mensen meestal positief op haar breisels reageerden, had ze nooit het idee gehad dat ze bijzonder waren. Ze vond zelf van niet. Maar Renske en Sofie waren oprecht enthousiast en dat was eigenlijk best leuk.

Renske wees naar de bollen op tafel. 'Heb ik even geluk dat je voor Roos alles al hebt liggen. Die wol vergoed ik gewoon, trouwens.'

Nina schudde haar hoofd. 'Dat hoeft niet. Ik vind het het leuk om zoiets cadeau te geven.' Ze zag dat Renske niet wilde toegeven en voegde er nadrukkelijk aan toe: 'Ik kan dat best betalen.'

Renske keek haar schuldbewust aan. 'Het spijt me, ik wilde je niet beledigen.'

'Dat deed je ook niet. Ik begrijp wat je bedoelde. Maar ik hoef geen vergoeding. Het is een hobby en ik kan moeilijk alles wat ik brei de rest van mijn leven in een grote koffer meeslepen.'

'Daar zit ook wat in.' Renske boog zich over de tas met wol. 'Wat ga je nog meer maken?'

'Oh...eh, dat weet ik nog niet precies.'

'Sjaals. Dat zei je tegen die mevrouw. En een trui voor een man.' Kleine potjes met grote oren... Nina kleurde, maar haalde haar schouders op. Renske lachte.

'Met dat bijdehandje in de buurt houd je niets geheim. Maar het was gewoon belangstelling, hoor. Als je het niet wilt vertellen, hoeft dat echt niet.'

'Ach, het is geen geheim. Tenminste... die sjaals moeten jullie maar even vergeten.' Gelukkig wist dat kind het verschil tussen een Hollandse sjaal en de shawls die zij bedoelde niet, zodat het toch nog een beetje een verrassing zou zijn.

Sofie glimlachte begrijpend. 'Sorry, we zijn veel te nieuwsgierig.'

Renske knikte, maar zei: 'Ik kan er niets aan doen, maar ik moet gewoon weten voor welke man jij een trui breit. Je hebt me zelf verteld dat je geen vriendje hebt.'

'Nee, het is voor... een kennis.'

'Nico?' Sofie knipoogde ondeugend. 'Hij doet in ieder geval genoeg moeite om je aandacht te trekken.'

'Nee, het is niet voor Nico. Maar nu we het toch over hem hebben... Hij vroeg of ik zaterdagavond met hem uit wil. Is dat een probleem?'

'Natuurlijk niet. Je bent toch vrij in het weekend? Wat leuk. Ik vroeg me al af wanneer jullie de volgende stap zouden nemen.'

'Ik weet niet of ik dat wel wil. En ik weet eigenlijk ook niet of dit de volgende stap is.'

Renske lachte. 'Dat maakt toch niet uit? Het kan even goed heel leuk zijn. We maakten ons al zorgen om je. Je bent de afgelopen weken nauwelijks de deur uit geweest.'

'In je vrije tijd,' vulde Sofie aan, voor Nina hier tegenin kon gaan. 'Je zit het hele weekend binnen en stiekem doe je nog van alles voor ons.'

'Als ik toch thuis ben, kan ik best even oppassen.'

'En daarom is het goed dat je zaterdag niet thuis bent.'

'Maar als jullie al plannen hadden, zeg ik het af.'

'Waag het niet. Tenzij je geen hele avond met hem uit wil, want dan mag je het als smoesje gebruiken om hem af te schepen.'

'Nee, dat doe ik maar niet. Hij is erg aardig.'

'Aardig? Is dat alles?'

'Voorlopig wel. Ik ken hem toch verder niet?'

'Is hij knap?'

'Best wel.'

Sofie schoot in de lach. 'Jouw standaarden liggen blijkbaar wel heel hoog. Die knul is razendknap. Een beetje te gladjes naar mijn smaak, dat wel.'

Renske grinnikte. 'Nu word ik echt heel nieuwsgierig. Komt hij

112

je ophalen?'

'Ja, om een uur of zes.'

'Dan ga ik hem eens even onopvallend bekijken.'

Nina lachte. 'Dat mag, hoor.'

'Sofie, wat kijk je tevreden.' Renske stootte haar zus aan.

Die glimlachte. 'Ik stond te bedenken dat jullie zo gezellig met elkaar omgaan. Daar ben ik blij om.'

Nina voelde zich verlegen worden, maar ze knikte. 'Ik voel me thuis bij jullie.'

'Dat is te zien. Je komt een stuk minder nerveus over dan toen je hier net was.'

'Nerveus? Nee toch?'

'Niet als je met de kinderen bezig was, maar wel als je met ons praatte. Ik merk alleen nog dat je wat moeite hebt met de mannen die hier over de vloer komen. Vooral met Diederik.'

'Dat valt wel mee. Ik heb vanochtend zelfs een tijdje met hem gepraat.'

'Echt waar? Toen je daarnet zei dat hij had afgezegd, nam ik aan dat hij gebeld had.'

'Nee, hij kwam langs. Hij heeft koffie gedronken, we hebben gepraat en toen moest hij weg omdat hij opgeroepen werd.'

'Een echte oproep? Geen smoesje?'

'Nee.'

Waarom begon ze nu te blozen onder Renskes onderzoekende blik?

'Ik ga mijn wol opruimen.' Nina pakte de tas en liep de kamer uit. Renske rende haar achterna en haalde haar in bij Nina's kamer. 'Het spijt me. Ik had er niets mee te maken. Ik ben gewoon veel te nieuwsgierig. Zeker als het twee mensen aangaat die ik erg hoog heb zitten.'

'Er is niets tussen Diederik en mij.'

'Ik zal er niet over doorzeuren, maar ik merk iedere keer als jullie samen zijn dat er iets vonkt. En ik wil Diederik niet afvallen, maar hij is geen gemakkelijk mens om mee te leven.'

'Ik leef niet met hem.'

Omdat ze Renske nu toch even apart had, stapte ze op een ander onderwerp over.

'Ik wilde je trouwens toch nog even spreken. Het gaat over Roos.' Zo duidelijk mogelijk legde ze uit wat er op school aan de hand was. 'Ik kan er niet helemaal achter komen wat er precies mis gaat, maar Roos heeft er duidelijk last van en dat is in ieder geval niet de bedoeling.'

'Nee, dat is het zeker niet. We moeten allemaal maar een oogje in het zeil houden.'

'Ik denk dat het voor Roos wel heel fijn is als ze gauw een keertje met Esmee kan afspreken. Die twee hebben even wat tijd samen nodig om weer gezellig te kunnen spelen.'

'Ik zal er morgen meteen werk van maken. Dank je wel.'

'Waarvoor?'

'Voor het feit dat je ook dit soort dingen in de gaten houdt. En zeg nu niet dat het je werk is, want dat is het niet. Je doet veel meer dan dat en je maakt je echt zorgen om de situatie. Dat waardeer ik echt enorm. Sofie en ik hebben niet zoveel mensen om onze zorgen mee te delen.'

Nina knikte. Ze wist dat de ouders van de zusjes een paar jaar geleden overleden waren en dat er verder niet veel familie was.

Renske vervolgde: 'Ik weet dat het voor jou hetzelfde is en ik hoop dat je ons genoeg vertrouwt om jouw zorgen ook te delen als het nodig is.'

'Ik vertrouw jullie, maar er is niets aan de hand.'

'Als het nodig is, zijn we er voor je. Onthoud je dat?' Renske keek haar indringend aan.

'Ja, dank je wel.'

'Maar je bent nog niet zover,' constateerde Renske zuchtend. 'Ik zie aan je dat dingen je dwarszitten, maar je wilt er blijkbaar niet over praten. En dat moet ik respecteren, maar ik wil gewoon graag dat je weet dat je bij ons terecht kan.'

'Dat weet ik. En er zijn wel wat dingetjes, maar daar ga ik jullie niet mee vermoeien. Dat kan ik alleen wel af.'

'Onder dat hulpeloze kleine meisjesuiterlijk van jou, gaat een heel koppig karakter schuil.'

'Dat heb ik vaker gehoord.'

'Nina! Kom, je moet met Diederik praten!'

Zwaaiend met haar moeders mobiel kwam Roos naar Nina toe, die net bezig was één van de baby's in bed te leggen.

'Wacht even, ik moet eerst Gijs even neerleggen.'

'Ze moet eerst Gijs neerleggen,' herhaalde Roos.

Nina grinnikte en legde de baby in zijn wiegje. Ze voelde weer die rare zenuwen door haar lijf trekken bij het idee met Diederik te moeten praten en probeerde nog even tijd te rekken door het kindje zorgvuldig in te stoppen.

Roos trok aan haar arm. 'Ben je nou klaar?'

'Ja, geef maar.' Ze pakte het toestel aan. 'Hoi, Diederik.'

'Hoi Nina.' Hij zweeg even en schraapte toen zijn keel. 'Ik wilde iets vragen. Jij zei pas dat ik met Roos ook naar een voorstelling of een museum kon gaan. Nu zei een collega dat er in het museum een wetenschappelijke tentoonstelling speciaal voor kinderen is en daar wilde ik met Roos naar toe. Ze mag dan zelf proefjes doen en zo. Dat lijkt me wel wat voor haar.'

Nina knikte en bedacht toen dat hij dat niet kon zien. 'Dat zal ze heel leuk vinden. Ze vond dat ene boek dat ze vorige week geleend heeft ook zo leuk. We proberen af en toe wat van die proefjes, maar het liefst zou ze niets anders doen. Wist je al dat ze nu professor wil worden?'

'Zoiets zei ze daarnet, ja. Leuk. Maar ik belde eigenlijk om te vragen of je mee wil.'

'Mee? Ik?'

Hij kuchte. 'Ja, niet om op te passen of zo, dat kan ik wel alleen. Maar het leek me wel gezellig.'

'Oh... ja. Waarom ook niet?' Ze hoopte maar dat hij niet hoorde dat ze vreselijk van slag was door zijn uitnodiging. Wat idioot. En wat een verschil met haar reactie op Nico... Nee, nu niet weer daarover gaan piekeren. 'Wanneer?'

'Aanstaande zaterdag? Kun je dan? Ik kom jullie dan om een uur of tien ophalen. 's Ochtends natuurlijk.'

'Ja, natuurlijk.' Wat klonk dat dom. Ze leek wel een papegaai. 'Ja, dat is goed. Leuk.'

'Fijn. Tot zaterdag dan.'

'Tot zaterdag.'

Renske kwam de kamer binnenlopen. 'Was dat Nico?'

'Nee.'

'Oh, ik dacht dat ik je 'tot zaterdag' hoorde zeggen?'

'Ja, maar het was Diederik. Die vroeg of Roos en ik met hem meegaan naar het museum.'

'Jij hebt vrij zaterdag.'

'Hij vroeg me niet als Roos' oppas.'

'Oh?'

'Gewoon voor de gezelligheid. Dat kan toch?'

'Natuurlijk kan dat. Maar dat is vast niet de enige reden. Ik vind het trouwens wel roerend dat jullie eerste afspraakje met Roos erbij is. Ik ben ooit met hem en Roos naar de dierentuin geweest, maar dat was niet echt een succes.' Renske sloeg haar hand voor haar mond. 'Oh, wat zeg ik nu weer. Ik bedoel niet dat... Eh, wat bedoel ik eigenlijk?'

Nina lachte. 'Dat weet ik niet. Of misschien ook wel. Het was voor jou zo'n teleurstelling dat je bang bent dat ik ook teleurgesteld word.'

'Ja, dat bedoel ik. Jij bent altijd zo goed met woorden.'

'Juist niet. Ik denk veel te simpel.'

'Maar meestal sla je daarmee de spijker op zijn kop. Ik wil inderdaad niet dat jij ook zo teleurgesteld wordt.'

'Daar hoef je niet bang voor te zijn. Ten eerste besef ik heel goed dat het tussen Diederik en mij nooit zou kunnen werken, dus ik verwacht helemaal niets. En ten tweede is hij veranderd. Hij weet dat hij fouten gemaakt heeft.'

'Echt waar? Heeft hij dat tegen jou gezegd?'

'Ja. Hij zei zelfs letterlijk dat hij weet dat hij het er naar gemaakt heeft dat Roos geen band met hem heeft en ik weet zeker dat hij wou dat hij het destijds anders had aangepakt.'

'Wauw! Het is voor hem al heel wat om dat toe te geven.'

'Dat bedoel ik. Veroordeel hem niet te hard. Hij doet echt zijn best. Hij zal nooit zo'n vader worden als Peter is, dat zit niet in zijn karakter. Maar dat hoeft toch ook niet? Marco is ook anders dan Peter.'

'Je hebt alweer gelijk. Ik vergelijk die twee ook veel te veel. Diederik was als tiener al stil en serieus. En Peter zal altijd wel wat uitbundiger geweest zijn.'

'Dat denk ik wel.'

'Dus jij gaat zaterdag eerst met Diederik uit en dan met Nico? Dat wordt een drukke dag.'

'Dat valt wel mee. Diederik haalt ons om tien uur al op en Nico komt om zes uur. Dan heb ik toch tijd zat?'

'Ach ja, dat moet lukken.'

Hoofdstuk 7

Tot Nina's verwondering vloog de dag in het museum om. Ze liepen met Roos langs alle opgestelde proefjes en probeerden alles wat er stond uit. Diederik vond het bijna net zo leuk als zijn dochter en dat bespaarde haar een worsteling met het lezen van de soms vrij lange beschrijvingen die erbij hingen. Omdat de tentoonstelling bedoeld was voor kinderen met begeleiding, gingen ze er blijkbaar vanuit dat die begeleiding geen moeite had met wetenschap en teksten. Dat was dan niet zo handig ingeschat van degene die de tentoonstelling had opgezet, want ze had meerdere gezinnen gezien die de kaartjes gewoon negeerden en maar wat deden. Over het algemeen waren die ook vrij snel klaar met de proefjes, want die waren alleen maar leuk als je wist wat je deed. Diederik wist dat. Ze glimlachte. Hij was helemaal in zijn element. En Roos ook. Nina had gedacht dat haar idee om professor te worden wel weer zou verdwijnen, maar het was de laatste paar dagen alleen maar sterker geworden. Het kind was dan ook duidelijk erg slim. Ze leek op haar vader.

Aan het eind van de route konden de kinderen zelf met bouwblokken aan de gang, terwijl de ouders een kopje koffie dronken. Diederik hielp Roos een eindje op weg met het bouwen van een grote toren, maar toen ze samen ging werken met een paar andere kinderen om een 'toren tot aan de lucht' te bouwen, ging hij tegenover Nina aan een tafeltje zitten.

'Wil jij koffie? Of iets anders?'

'Thee, alsjeblieft. Ik hou niet zo van koffie.'

'Oh ja, dat is waar ook. Wacht even, ik ga het halen.'

Hij stond weer op en kwam even later terug met een beker koffie en een beker thee.

'Dank je.' Nina pakte de thee en nam een slokje om zichzelf een houding te geven. Natuurlijk brandde ze haar tong. Wat was ze toch een sufferd! Gelukkig leek Diederik er niets van te merken.

'Dit was wel een schot in de roos.' Hij lachte. 'Die woordspeling was niet bewust. Ik bedoel dat dit een goed idee was. Ik had nooit gedacht dat Roos dit zo leuk zou vinden.'

'Ze lijkt meer op jou dan je denkt.'

'Blijkbaar. Renske heeft altijd een hekel gehad aan wetenschap, maar Roos vindt het prachtig. Ik nam aan dat ze het na een uurtje zat zou zijn, maar volgens mij hebben we echt alles gedaan wat er te doen viel.'

Nina knikte. 'En het liefst zou ze het allemaal nog eens herhalen.'

'Ja, maar dat lukt niet meer.'

Hij keek op zijn horloge. 'Het is al half vijf. Zullen we straks met z'n drieën iets gaan eten?'

Nina schudde haar hoofd. 'Nee, sorry. Ik moet zo naar huis. Ik heb vanavond een afspraak.'

Diederik trok zijn wenkbrauwen op. 'Een afspraak?'

'Ja, dat kan toch?'

'Je bent met mij uit.'

'Die afspraak stond al. Ik vond dat ik het best kon combineren. Ik had eigenlijk niet verwacht dat...'

'Dat ik het zo lang vol zou houden?'

'Dat jij hier een hele dag voor uit zou trekken. Je hebt het meestal te druk om zelfs maar een kopje koffie te blijven drinken. Sorry, ik heb het verkeerd ingeschat.'

Hij zuchtte. 'Op jou kan ik nou nooit eens lekker kwaad worden. Je hebt gewoon gelijk. Met wie ga je uit? Met een vriendin?'

'Nee, met een man die ik in de studio heb leren kennen. Hij is geluidstechnicus en...'

Zag ze nu jaloezie op zijn gezicht? Ach, dat verbeeldde ze zich maar. '...hij had vrijkaartjes voor een musical.'

Ze wist dat ze het uitstapje bewust bagatelliseerde, maar het werkte. Zijn gezicht klaarde op.

'Geen vriendje dus?'

'Nee.' Het klonk nogal kortaf, maar wat moest ze anders zeggen? Diederik knikte en nam afwezig een slok van zijn koffie. Hij vertrok zijn gezicht. 'Bah, wat een slootwater. De koffie die jij zet is veel lekkerder.'

Nina glimlachte. 'Dank je. Denk ik. Want meer dan een knopje verdraaien heb ik er niet voor gedaan.'

Uit haar ooghoeken zag ze iemand met een camera en ze keek hem geschrokken na. Pas toen ze zich realiseerde dat het gewoon een van de ouders van een ander kindje was, ontspande ze weer.

Diederik keek haar cynisch aan. 'Ben jij nou ook al zo panisch voor fotografen? Is dat besmettelijk of zo?'

Ze haalde haar schouders op. 'Ik kan daar normaal gesproken heel goed mee omgaan, maar...'

'Maar wat? Is er iets gebeurd?'

Ze keek op en zag in zijn ogen niets dan bezorgdheid. Ze knikte. 'Niets bijzonders. Maar er is een fotograaf die me lastig valt. Hij denkt dat ik hem verhalen over Renske en Sofie kan verkopen.'

'Hoe komt hij erbij dat je dat zou willen? Ik ken niemand die zo integer is als jij.'

Nina zuchtte diep. 'Hij weet iets dat jij niet weet. Ik heb ooit een heel stomme fout gemaakt en dat blijft hij me inwrijven. Omdat ik weiger hem vrijwillig dingen toe te spelen, dreigt hij nu aan Sofie en Renske te vertellen dat ik helemaal zo betrouwbaar niet ben.'

'En heeft hij daar gelijk in?'

Ze aarzelde even en zei toen: 'Het was niet mijn schuld. Niet echt tenminste. Maar ik kan me voorstellen dat zij het anders opvatten. Ik was verliefd op de jongste broer van mijn werkgeefster.'

'Die doordeweeks bij jullie in huis woonde.'

'Ja.' Dat had hij goed onthouden. 'Ik was onervaren en hij leek eerlijk. Beweerde dat hij met me wilde trouwen, dat hij me zou vragen zodra hij klaar was met zijn studie. Toen zijn zus erachter kwam dat we een relatie hadden, heeft ze eerst mij de huid vol gescholden. Wie dacht ik wel dat ik was, hoe durfde ik een relatie te beginnen met iemand die zo ver boven mijn stand was...'

'Zei ze dat echt? Wat middeleeuws!'

'Het gaat om een heel bekende familie uit de hoogste klasse van het land. Amerika heeft geen oude adel, maar de nieuwe rijken zijn net zo standsbewust als de adel vroeger bij ons was.'

'En toen? Dat verklaart nog niet wat die journalist beweert.'

'Hij was min of meer verloofd met een meisje dat wel uit zijn kringen kwam. Iedereen wist dat en het wachten was alleen nog op de officiële verloving. Zij vertelde het verhaal aan de pers zodat het duidelijk was waarom ze het uitmaakte.'

'En daar kreeg jij de schuld van?'

'Ja.'

'Heb je het niet ontkend?'

'Jawel. Ik heb de waarheid aan het au pair bureau verteld en zij geloofden mij. Die verloofde heeft zelfs geprobeerd mijn naam te zuiveren toen ze erachter kwam dat ik ook maar een slachtoffer was, maar blijkbaar gaat de andere versie ook nog steeds rond.'

'En die journalist dreigt het aan Renske en Sofie te vertellen?'

'Het stomme is dat ik al een tijdje van plan ben er zelf over te beginnen, maar het komt er gewoon niet van. Ze hebben het alle-bei verschrikkelijk druk en bovendien proberen we Sofie sowieso een beetje buiten dat persgedoe rond school te houden.'

'Waarom?'

'Omdat ze daar zo slecht tegen kan.'

'Sofie is veel sterker dan jullie denken. Renske heeft me verteld wat ze gedaan heeft om de voogdij over haar te krijgen.'

'Dat hebben ze mij ook verteld. Daar ging ze bijna aan onder-door.'

'Maar ze deed het wel. En toen Renske in de problemen zat bij haar eerste werkkring, heeft Sofie haar ook gewoon opgevangen. Jullie zijn allemaal veel te beschermend voor haar. Volgens mij moet je haar juist vertellen wat er speelt. Ze weet hoe ze ermee om moet gaan. Ik heb haar destijds op televisie gezien, toen ze besloten had het onderduiken op te geven. Ze was fantastisch, ook al zat er zo'n vervelende vent in het publiek die Renske en haar voor schut wilde zetten.'

'Ik heb er flarden van gezien, met ondertiteling. Sophia was in Amerika ook aardig beroemd tenslotte.'

Ze realiseerde zich ineens wanneer dat geweest moest zijn. 'Renske was toen zwanger. Wist je niet dat het van jou was?'

Hij zuchtte. 'Jawel. Maar zij wist niet dat ik het wist. Ze had het me in eerste instantie verteld, maar toen het erop leek dat ik mijn studie zou moeten opgeven, beweerde ze dat ze een miskraam had gehad. Ik wist dat het niet waar was, maar ik vond dat wel gemakkelijk, dus heb ik het zo gelaten.' Hij keek haar aan. 'Val ik je nu erg tegen?'

Nina glimlachte. 'Je was toen ook nog maar... negentien, denk ik?'

'Dat is geen excuus. Er zijn echt genoeg jongens van die leeftijd die wel hun verantwoording nemen.'

'Neem je het jezelf kwalijk?'

'Ja, eigenlijk wel.'

'Omdat je anders met Renske getrouwd zou zijn?'

Waarom vroeg ze dat? Wilde ze dat weten? Eigenlijk niet. Maar ja, nu had ze het al gevraagd. Diederik keek haar onderzoekend aan. 'Ze hebben je niet echt veel verteld, blijkbaar. Renske en ik hebben nog niet zo lang geleden een halfjaar samengewoond en dat werkte niet. Er is niets meer tussen ons.'

'Maar dat was misschien anders geweest als...'

'Ik ben bang van niet. Als ik toen echt van haar gehouden had, zou ik haar niet zomaar hebben laten gaan.'

'Dat is ook wel waar...'

Diederik nam een slok van zijn koffie. Ze had het gevoel dat zijn ogen dwars door haar heen keken, maar hij zei niets. Het leek of hij ergens op wachtte, maar wat moest ze zeggen? Dat ze blij was dat hij niets meer voor Renske voelde? Niet op die manier in ieder geval? Het was wel zo, maar dit veranderde nog steeds niets aan het feit dat zij ook niet bij hem paste.

Ze dronk zwijgend haar thee op. Diederik kuchte een paar keer en zei toen aarzelend: 'Nina, ik...'

Geschrokken keek ze op haar horloge. 'Het spijt me echt, maar ik moet gaan, anders ben ik niet thuis als ik opgehaald word.'

Zijn gezicht verstrakte. 'Dat zou niet erg beleefd zijn.' Diederik keek naar zijn dochter, die nog heerlijk aan het spelen was. 'Vind je het erg om alleen naar huis te gaan? Je hoeft alleen maar de stadsbus te nemen. Ik wil Roos nog niet storen.'

Waarom voelde ze zich nu toch afgewezen? Ze was tenslotte niet echt met hem uit, dus hoefde hij haar ook niet thuis te brengen. Maar echt leuk vond ze het niet. Toch bracht ze het op om hem vrolijk gedag te zeggen en zonder om te kijken het gebouw uit te lopen.

Toen ze thuis aankwam, stond Renske al te wachten.

'Ik dacht dat jij om zes uur weg moest? Hoe kun je jezelf nu in een halfuurtje ver genoeg optutten?'

Nina haalde haar schouders op. 'Dat duurt toch niet zo lang?'

'Natuurlijk wel. Maar ik zal je wel helpen. Als jij onder de douche springt, duik ik in je kledingkast om een leuke sexy outfit uit te zoeken.'

Ze kreeg de kans niet om tegen te stribbelen, want Renske duwde haar zowat de trap op.

'Wil je niet eerst weten waarom ik zonder Roos thuiskom?'

'Omdat Diederik en zij nog wat langer blijven. Dat weet ik al. Hij heeft gebeld.'

'Oh.'

'Ja, niets voor hem, maar wel attent. En toen bedacht ik dat jij die afspraak al om zes uur hebt.'

Renske liep met Nina mee haar kamer in. 'Mag ik in je kast kijken?'

Nina haalde haar schouders op. 'Van mij wel. Veel bijzonders heb ik niet.'

'Anders leen je maar iets van mij. Je bent kleiner en tengerder, maar ik heb misschien wel dingen die je zouden passen.' Ze trok de kast open. 'Oh, veel heb je niet. Behalve truien en vesten dan. Die heb je zat en allemaal even mooi. Maar heb je geen sexy topjes of zo?'

'Nee, en die wil ik ook absoluut vanavond niet aan. Nico is... al behoorlijk opdringerig als ik gewone kleren draag. Ik wil hem niet op ideeën brengen voor ik weet of ik eigenlijk wel iets met hem wil.'

'Tja... dat klinkt verstandig. Dan gaan we voor netjes, flatterend en niet te uitdagend. Hup, ga douchen jij, ik kom er wel uit.'

Daar twijfelde Nina niet aan. Renske ging zich steeds meer als een zusje gedragen en eigenlijk vond ze dat wel leuk. Als enig kind had ze dat toch wel gemist. Neuriënd stapte ze onder de douche.

'Wauw, je ziet er geweldig uit!' Nico pakte Nina's hand en bracht die charmant naar zijn lippen. Nina glimlachte. Nadat Renske een rok die haar te strak zat had opgedoken en gecombineerd met een trui van heel fijne alpacawol, hadden Renske en Sofie erop gestaan Nina te helpen met haar haar en haar make-up. Nina had zelf ook al geconstateerd dat een beetje extra toch een hoop verschil kon maken. Eigenlijk gaf ze er niet zo om, maar het was toch leuk de bewondering in zijn ogen te zien. Normaal gesproken beweerde Nico ook dat hij haar knap vond. Ze betwijfelde altijd of hij dat echt meende, maar nu was zijn reactie bij haar binnenkomst oprecht verrast geweest. Hij pakte haar andere hand.

'Ik heb gereserveerd bij dat Turkse restaurant waar ik het over had. Zullen we gaan?'

Hij knikte vriendelijk naar Renske die toevallig net de trap afkwam en draaide zich om naar de deur. Nina ving een knipoog van Renske op en volgde hem glimlachend. Haar glimlach vervaagde toen ze bijna tegen Diederik opbotste. Hij zei niets, maar hij bekeek Nico van top tot teen en ze kon aan zijn gezicht zien dat het hem niet beviel wat hij zag. Roos stond naast hem en keek verbaasd van de ene volwassene naar de andere.

'Ga jij weg, Nina?'

'Ja, ik ga eten met Nico.'

'Maar Diederik komt bij ons eten. Dat doet hij bijna nooit.'

'Misschien moet hij dat dan maar vaker doen. Vandaag kan ik niet langer blijven.' Om haar ietwat kattige woorden te vergoeden, aaide ze Roos over de vlassige blonde haren. 'Ik had al aan Nico beloofd dat ik met hem ga eten.'

'En wat je belooft moet je doen.'

'Precies.'

'Gaan jullie patatjes eten?'

'Nee, iets anders. Jullie gaan wel patatjes eten.'

'Echt waar? Dat vind ik het allerlekkerst. Diederik ook, hè Diederik?'

Diederik lachte. 'Ja, eigenlijk wel. Ik ben blij dat ik hier mag eten.'

Nina constateerde verbaasd dat hij behoorlijk ontdooid was. Tenminste, tegenover zijn dochter. De manier waarop hij naar Nico keek was alles behalve warm. En zijn houding tegenover haar... die kon ze niet helemaal thuisbrengen. Hij was niet kwaad, maar zijn blik was ook niet helemaal vriendelijk. Waarom trok ze zich dat toch zo aan?

Nico schraapte zijn keel. 'Nina, we moeten gaan.'

Nina schrok op uit haar gedachten. 'Ja, natuurlijk. Sorry. Dag Roos, tot morgen.'

'Ga je niet vertellen voor ik ga slapen?'

'Nee, vanavond niet, liefje. Morgen weer.'

'Dan moet Peter maar voorlezen. Die kan het ook goed. Diederik wil niet voorlezen, hè Diederik? Maar Diederik kan wel heel goed boekjes zoeken.'

'Dat is ook fijn. Dag Roos. Tot ziens, Diederik.'

Ze liep achter Nico aan, die inmiddels al ongeduldig naar buiten gelopen was. Hij zuchtte. 'Kletst dat kind altijd zo veel?'

'Ja, dat hoort bij de leeftijd. Ik vind dat juist zo leuk.'

'En je geeft nog overal antwoord op ook. Dat kind is straalverwend.'

'Dat kind heet Roos en ze is inderdaad gewend aan aandacht. Maar verwend is ze niet. Het is een schatje.'

'En is Diederik ook een schatje? De manier waarop hij naar je keek, bevalt me totaal niet. Wie is die vent trouwens?'

'Een vriend van de familie.'

'Dat zal wel.' Hij bleef nukkig tegen de autodeur geleund staan. Nina keek hem verbaasd aan.

'Wat is er? Wil je niet meer met me uit?'

'Ja, natuurlijk wel. Sorry. Ik zeur.'

'Nogal, ja.'

Nico keek haar verbaasd aan en schoot toen in de lach. 'Je bent in ieder geval erg eerlijk. Ik zal er niet meer over zeuren.'

Hij hield galant de deur van zijn auto voor haar open en ze stapte in. Toen hij naast haar ging zitten, vroeg hij: 'Was dat het zusje van Sophia?'

'Ja, dat was Renske.'

'Woont ze nog steeds bij haar zus in huis? Ik dacht dat ze al snel ging trouwen.'

'Dat duurt nog wel een paar maanden.'

'Help jij ook mee met de voorbereidingen? Ze hebben de locatie en de precieze datum natuurlijk al gepland. Jij bent vast helemaal op de hoogte.'

Was hij haar aan het uithoren? Nina schudde haar hoofd.

'Niet echt. Ik ben er voor de kinderen.'

'Maar Renske zal toch regelmatig afspraken hebben om dingen te bespreken? Iemand in haar positie zal waarschijnlijk kiezen voor een heel uitgebreide bruiloft.'

'Ik heb geen idee.'

'Mijn jongste zus is vorig jaar getrouwd. Die was op het laatst helemaal over de rooie. Alles moest perfect in orde zijn en precies volgens haar kleurschema. We hadden de bruiloft in een tuin en ze was woest toen er een boom begon te bloeien in de verkeerde kleur.' Hij snoof minachtend. 'Ze deed me denken aan de koningin uit die tekenfilm, die alle rozen een andere kleur wilde hebben.'

'Alice in Wonderland. We verven de rozen rood.' Nina lachte. 'Dank je wel, nu blijft dat liedje in mijn hoofd hangen.'

'Ken je die film zo goed dan?'

'Ik werk met kinderen, dan krijg je dat. Ik ben geen voorstander van veel televisie, maar het hoort er natuurlijk wel bij. En toevallig is Alice in Wonderland één van mijn favoriete tekenfilms.'

'Je lijkt op haar.'

'Op Alice? Nee toch? Ik vind het maar een raar kind. Wie eet er nou een koekje alleen omdat er 'eet mij' op staat?'

'Dat is ook weer waar. Maar ik bedoelde uiterlijk. Zo'n lief, ouderwets, blond meisje.'

'Met een wit schortje voor?' Ze trok een lelijk gezicht. 'Bah. Gelukkig niet. Niet meer in ieder geval.'

'Heb je schorten moeten dragen voor je werk?'

'Een van mijn werkgeefsters vond het leuk als ik dat deed, zeker als er bezoek kwam. Ze was best aardig, maar een eeuw te laat geboren.'

'Dat hoef je toch niet te pikken?'

'Nee, maar ze wilde het nu eenmaal graag. Ik had er vooral een hekel aan omdat die dingen zo snel vuil worden. Je ziet er alles op. En ik moest ze zelf strijken.'

'Je bent daar zeker snel weer weg gegaan?'

'Nee hoor, ik heb gewoon mijn jaar uitgediend. Zoals ik al zei, ze was eigenlijk heel aardig. En haar man en de kinderen ook. Ik had het bij hen best naar mijn zin. Beter dan bij sommige anderen.'

'Hoeveel gezinnen heb je gehad?'

'Dit is mijn zesde gezin.'

'Doe je dit al vijf jaar? Hoe jong ben je dan begonnen?'

'Op mijn zeventiende. Maar bij de laatste ben ik maar een half jaar gebleven. Ik kon slecht tegen het klimaat daar.'

'Waar was dat dan? In de tropen?'

'Florida.'

'Is het daar zo warm?'

'Voor mij wel. Vochtig, smog, dat soort dingen.'

Tot haar opluchting vroeg hij niet door. Aan Diederik had ze het kunnen vertellen, maar Nico zou het waarschijnlijk niet begrijpen.

Hij haalde zijn schouders op. 'Mij lijkt het daar heerlijk, maar ieder heeft nu eenmaal zijn eigen voorkeuren.'

'Precies.'

In het restaurant stelde Nico voor een gerecht te nemen dat bestond uit allerlei kleine gerechten.

'Een soort rijsttafel maar dan op zijn Turks. Juist omdat je nog nooit Turks gegeten hebt, is het leuk om allerlei verschillende gerechten te proeven. Of ben je zo'n type dat niets lust?'

Ze vroeg zich af wat hij gedaan zou hebben als ze inderdaad kieskeurig was. De manier waarop hij het zei was niet echt vriendelijk. Maar ze haalde haar schouders op. Ze vond het allang best dat ze geen moeite hoefde te doen om de menukaart te ontcijferen. Ze had al gezien dat die alles behalve overzichtelijk opgesteld was. Uit ervaring wist ze dat het mensen opviel en zelfs irriteerde als ze er erg lang over deed om een keuze te maken, terwijl zij gewoon extra tijd nodig had om de omschrijvingen te lezen. Vaak nam ze dan maar het bovenste gerecht.

'Ik lust alles.'

Het was duidelijk dat hij hier vaker at. Hij bestelde de gerechten zonder te struikelen over de lastige Turkse woorden en flirtte ondertussen met de serveerster. Ze wist dat hij daar waarschijnlijk niets mee bedoelde, maar echt leuk vond ze het niet. Ze vond het zelf stom, ze wilde helemaal niet zo onzeker zijn. Maar ja, wat deed je er tegen?

Nico keek de serveerster breed glimlachend na en knipoogde tegen Nina.

'Ik ken haar al jaren. Je bent toch niet jaloers?'

'Natuurlijk niet.'

'Gelukkig maar. Ik heb een hekel aan jaloerse vrouwen.'

Weer zo'n oordeel. En dat van iemand die nogal overdreven had gereageerd op Diederik, die allesbehalve met haar geflirt had. Ze vond hem op deze manier een stuk minder leuk dan normaal gesproken als hij haar op kwam zoeken in de studio. Ook tijdens hun lunchuitjes was hij nooit zo vervelend geweest. Blijkbaar was dat op haar gezicht te lezen, want hij bond snel in en lachte breed. 'Ik heb geen hekel aan jou. Dat zou niet mogelijk zijn.'

Na de prettige dag met Diederik kon ze niet echt meer van dit soort opmerkingen onder de indruk zijn, maar ze glimlachte vriendelijk. Het was niet eerlijk om Nico nu meteen helemaal af te schrijven. Trouwens, wat was er nu eigenlijk tussen Diederik en haar? Ze hadden een paar keer een goed gesprek gevoerd. Meer niet. Hoewel ze vanmiddag toch even gedacht had dat hij... Maar dat was vast verbeelding geweest. Het bleef een feit dat Diederik veel te slim was om met een dom meisje als zij iets te beginnen. Dat liep gegarandeerd mis. Nico paste veel beter bij haar. Maar waarom vond ze hem dan zoveel minder leuk?

'En? Vind je het lekker?' Nico keek haar afwachtend aan.

Nina lachte. 'Je geeft me de kans niet om een hap in mijn mond te steken.'

Ze nam een stukje groente en knikte. 'Ja, dat smaakt wel goed. Andere kruiden dan ik gewend ben, maar wel lekker.' Ze nam nog een hapje en keek hem aan. 'Waarom kijk je zo vreemd?'

'Ik zat jou te bewonderen. Weet je wel dat die trui je heel goed staat?'

'Dank je.'

'Dat zal geen goedkope trui zijn geweest.'

Ze haalde haar schouders op. 'Het was dure wol, maar ik heb hem zelf gebreid, dus het totaalbedrag viel nog wel mee.'

'Heb je dit gebreid? Dat kan toch haast niet? Gebreide truien zijn altijd dik en vormloos en ze kriebelen.'

'Dat hoeft niet. Hoewel ik ook wel een paar van dat soort truien heb, want die zitten heerlijk. Ze kriebelen overigens niet, want daar hou ik ook niet van. Maar dit was leuk om eens te proberen. Het is hele dunne wol, dus ik moest heel dunne naalden gebruiken. Het duurde enorm lang voor ik klaar was, maar het resultaat was al dat werk wel waard, denk ik.'

'Zeker weten.' Zijn ogen bleven net iets te lang op de diep uitgesneden V-hals rusten. Nina zag het en wenste dat ze haar eigen zin had gedaan. Renske vond het onzin om een shirt onder deze trui te dragen, maar zelf voelde ze zich dan veel beter op haar gemak. Zeker nu ze met Nico op stap was.

De blik in zijn ogen beviel haar niet helemaal. Hij zou toch niet denken dat ze ergens op uit was? Ze voelde het bloed weer naar haar wangen kruipen. Ze was zo slecht in dit soort dingen. Waarom kon ze niet gewoon accepteren dat een man op die manier naar haar keek? Deed haar dat te veel aan Andrew denken? Of had ze er daarvoor ook al last van gehad? Vast wel. Ze was nu eenmaal vrij beschermd opgevoed. Haar vader was erg streng geweest. Voor haar waren schoolfeestjes en uitjes met klasgenoten niet toegestaan. Ze had altijd gedacht dat ze er ook niets aan gemist had, maar nu vroeg ze zich af of ze zich wat meer op haar gemak gevoeld zou hebben als ze als tiener al was uitgegaan.

Een vriendje was helemaal geen optie geweest. Het liefst hadden ze haar op een meisjesschool gedaan, maar die bestonden nu eenmaal nauwelijks meer. Ze had dus wel wat jongens in de klas gehad, maar behalve daar had ze geen kans gehad om met hen om te gaan. Niet dat ze dat wilden, ze vonden haar allemaal dom en stijf. Stel dat ze, net als veel andere meisjes, regelmatig verkering had gehad met een van de jongens uit haar klas? Zou ze zich dan ook zo gemakkelijk door Andrew hebben laten misleiden? Of zou ze het dan doorgehad hebben? Nu was ze alleen maar vreselijk gevleid geweest door zijn aandacht voor haar. Net als... Haar gedachten stokten. Net als bij Nico het geval was. Ze moest inderdaad uitkijken met die man. Hoe leuk het ook was dat zo'n knappe, populaire jongen aandacht aan haar besteedde, dat was nog geen reden om alles wat hij zei te geloven. Ze had vanavond al een paar kantjes van hem gezien die haar niet echt bevielen en ze had het gevoel dat er nog steeds iets broeide onder zijn nu zo vrolijke gebabbel over het eten. Als hij zo bleef zou ze niet nog eens met hem uitgaan. Sterker nog, ze hoopte dat hij dan Sofies kleedkamer in het vervolg ook maar zou mijden.

'Waar zit je met je gedachten? Je lijkt echt mijlenver weg. Niet zo vleiend voor mij.'

Dat was het inderdaad niet, maar Nina vermande zichzelf en zei lachend: 'Ik heb geen idee waar ik aan dacht. Sorry, ik ben er weer.'

'Drukke dag gehad? Ik dacht dat je vrij was vandaag?'

'Ja, maar ik ben met Diederik en Roos mee geweest naar het museum. Daar hadden ze een voorstelling over wetenschap, speciaal voor kinderen. Dat was zo leuk! Roos kon allerlei proefjes doen en Diederik bleek heel goed te zijn in uitleggen wat ze nu precies deed.'

'Waarom met hem? Oh wacht. Ik heb ooit eens gelezen dat die man waarmee Renske gaat trouwen niet de vader van Roos is. Is Diederik haar vader?'

Nina dacht even na. 'Als ik het ontken, geloof je me toch niet. Ik heb al tegen je gezegd dat hij een vriend van de familie is en daar laat ik het bij. Ik praat liever niet over dit soort onderwerpen. Als je au pair bent, weet je een hoop over de gezinnen waar je werkt, maar het is niet de bedoeling dat je dat aan iedereen vertelt.'

'Ik ben toch niet iedereen?'

'Nee, maar...'

'Volgens mij is het gewoon bekend, hoor. Ik hou dat alleen niet zo goed bij. Zal ik het via mijn telefoon even opzoeken op Google? Dan kun je er met een gerust hart over praten.'

'Dan doe ik dat nog liever niet. Praat maar ergens anders over.'

'Waarover?'

'Over jezelf?'

'Wat wil je weten?'

'Alles.'

'Dat is een beetje hypocriet, vind je niet?' Toen hij haar gezicht zag, lachte hij om zijn woorden te verzachten. 'Nee, je hebt gelijk. Er is een verschil.'

'Dat dacht ik ook. Ik bedoel gewoon dat ik eigenlijk niets van je weet. Ja, je naam en dat je geluidstechnicus bent. En je zus is vorig jaar getrouwd. Maar dat is alles.'

Eigenlijk wist hij ook niet veel van haar. Waar praatten ze eigenlijk over als ze gingen lunchen? Ze wist het niet. Koetjes en kalfjes? Nee, hij herhaalde eigenlijk voortdurend hetzelfde. Een net niet kwetsende opmerking over het feit dat ze aan het breien was, vage complimentjes over haar uiterlijk. Meer niet. Inhoudsloos. Wat deed ze hier eigenlijk? Of nam ze dit weer eens veel te serieus? Dat was wat Andrew haar ook had verweten. Ze nam het veel te serieus. Mannen en vrouwen hebben nu eenmaal wel eens gewoon plezier samen, zonder dat daar direct allerlei beloftes aan vastzitten. Maar ze zou gezworen hebben dat hij zelf over een huwelijk was begonnen...

Die fout ging ze niet nog eens maken. Geniet er gewoon van Nina, hield ze zichzelf voor. Je bent uit met een knappe man, andere vrouwen kijken jaloers naar je. Er is lekker eten en straks een leuke voorstelling. Maak het niet ingewikkelder dan het is.

Ze nam nog een hap van de overheerlijke salade en glimlachte. Nico's gezicht had strak gestaan, maar blijkbaar voelde hij aan dat ze zich ontspande, want hij glimlachte stralend terug.

'Ik vraag me af hoe je geluidstechnicus wordt. Is daar een opleiding voor?'

Dat leek haar een veilig onderwerp en blijkbaar was Nico het met haar eens, want hij ging er uitgebreid op in. Via zijn scholing kwam het gesprek ook op de hare. Dat had ze kunnen verwachten, bedacht Nina. En ze kon moeilijk weigeren een antwoord te geven nu hij haar zo precies had uitgelegd hoe hij in het vak terecht gekomen was. Gelukkig was hij niet zo vreselijk goed op school als Diederik, dus was het iets gemakkelijker om toe te geven dat ze met veel moeite het laagste niveau had gehaald en daarna een cursus kinderopvang had gedaan.

'Maar die was heel erg gericht op kinderdagverblijven en dat was niet wat ik wilde. Toen heb ik me ingeschreven bij een au pairbureau en daar werd ik vrij snel aangenomen.'

'Maar wat doe je als je te oud bent voor dit werk? Ik neem toch aan dat je op je dertigste geen au pair meer kunt zijn.'

'Dat weet ik nog niet. Ik zou dan als nanny kunnen gaan werken, dat is eigenlijk hetzelfde, maar dan niet in het buitenland.'

'Wilde je zo graag naar het buitenland? Ben je zo avontuurlijk ingesteld?'

'Eigenlijk niet, maar ik wilde afstand nemen van mijn familie. Mijn vader was net hertrouwd en ik kon niet zo goed met mijn stiefmoeder overweg. Na dat eerste jaar was die behoefte om ver weg te gaan wel een beetje over, maar toen zat ik in het systeem en kreeg ik steeds iets anders aangeboden.'

'Dus je zou het nu niet erg vinden om terug te gaan naar Engeland?'

'Niet echt. Maar ik heb daar ook niet echt meer iets te zoeken, want mijn vader en zijn vrouw wonen inmiddels hier in Nederland.'

'Is dat niet vervelend?'

'Waarom? Ze wonen aan de andere kant van het land. Dat is naar

Amerikaanse begrippen niet ver weg, maar ver genoeg om ze niet dagelijks tegen te komen. Trouwens, ik neem aan dat we nu wat beter met elkaar overweg kunnen.'

'Waarom denk je dat?'

'Ik ben wat ouder geworden. Ik was echt zo'n opstandige puber toen mijn vader hertrouwde.'

'Jij? Dat kan ik me niet voorstellen. Volgens mij kun je niet eens opstandig zijn.'

Ze trok haar wenkbrauwen op. 'Ik weet niet of ik dat zo'n compliment vind. Ik kan prima voor mezelf opkomen, hoor.'

Hij lachte. 'Prik mijn luchtbel niet door. Ik vind je zo leuk omdat je zo ouderwets lief en zachtaardig bent. Ik ben al die zelfbewuste b... eh vrouwen echt ontzettend zat. Zie je, ik pas zelfs mijn taalgebruik aan als ik bij jou ben.'

Ze had heel goed door welk woord hij had willen gebruiken en het leek een lieve opmerking, maar zijn gedrag wees op het tegenovergestelde. Hij had overduidelijk een voorkeur voor brutalere vrouwen. Een deel van de vriendelijke glimlachjes en knipoogjes die hij uitzond, waren namelijk niet voor haar bestemd, maar voor de goed gevormde brunette die achter haar zat. En hij dacht blijkbaar dat zij dat niet door had. Want ze was zo lief en zachtaardig...

Kon ze eigenlijk niet beter naar huis gaan? Maar dat zou laf zijn. En bovendien wist ze niet hoe ze dat aan moest pakken. Ze zou vast gaan stotteren als ze probeerde onder woorden te brengen waarom ze er eigenlijk helemaal geen zin meer in had. En hij zou het ontkennen en zeggen dat ze zich aanstelde. Misschien deed ze dat ook wel. Ze was dit soort dingen immers gewoon niet gewend?

Ze forceerde een glimlach en deed haar best gezellig mee te praten, ook al ging het gesprek alweer helemaal nergens over.

Nina was blij toen ze klaar waren met eten. Nico had afgerekend en hield galant haar jas voor haar op. Ze zag dat hij ondertussen een bierviltje met zijn telefoonnummer erop aan de flirtende dame achter haar gaf. Weer wenste ze dat ze gemakkelijker de juiste woorden kon vinden. Ze had graag een scherpe opmerking gemaakt om hem op zijn nummer te zetten. En haar ook, trouwens. Maar het lukte haar niet iets te verzinnen en toen was de gelegenheid alweer voorbij. Ze besloot het dan maar gewoon te negeren. Die musical zou best leuk zijn en daarna ging ze naar huis. Maar hij moest wel heel erg zijn best gaan doen wilde ze nog een keer met hem uitgaan!

Vanaf het restaurant konden ze lopen naar het theater. Nico had zijn arm om haar schouder geslagen en leidde haar door de drukke winkelstraten. Nina bedwong de neiging zijn arm af te schudden en vroeg, ineens toch nog opstandig: 'Kende je die vrouw achter ons?'

Ze voelde Nico verstijven. 'Wie bedoel je?'

'Ik ben niet blind, Nico. Je zat de hele tijd naar die vrouw achter ons te kijken. En toen we weggingen gaf je haar je telefoonnummer.' Wat natuurlijk betekende dat hij haar niet kende. Zie je wel, ze had beter haar mond kunnen houden. Nu kwam ze weer dom over.

Nico trok haar dichter naar zich toe. 'Ik had je toch verteld dat ik niet van jaloerse vrouwen houd? Haal je nou geen rare gedachten in je hoofd. Dat was gewoon een onschuldig flirtje. Betekent niets, dat gaat automatisch. Zo zit ik nu eenmaal in elkaar. Maar als je daar moeite mee hebt, zal ik me inhouden. Ik wil graag dat jij het naar je zin hebt.'

Het klonk lief en het maakte haar aan het twijfelen. Had ze hem toch verkeerd beoordeeld? Ze liet toe dat hij haar kort kuste en glimlachte. 'Het geeft niet.'

Maar toen hij haar in een portiek trok en zijn lippen nogmaals op de hare drukte, terwijl hij zijn handen onder haar trui schoof, duwde ze hem weg. 'We komen te laat bij het theater.'

Ze kon aan zijn gezicht zien dat hij niet blij was met haar afwijzing, maar hij drong gelukkig niet verder aan. 'Je hebt gelijk. De voorstelling wacht niet, maar daarna hebben we nog tijd genoeg.'

Hij zei het lachend, maar het klonk geforceerd. En ze hoorde iets anders in zijn stem, dat een alarmbelletje deed afgaan. Of was ze nu weer te argwanend?

'Genoten?' Nico keek Nina verwachtingsvol aan.

Ze knikte. 'Het was prachtig. Ik wilde deze musical al jaren graag zien, maar het was nog mooier dan ik verwacht had. Ik ben erg blij dat je me meegevraagd hebt.'

'Geen dank. Ga je nog even mee iets drinken? Ik weet hier vlakbij een gezellige club.'

'Wat voor club?'

'Gewoon een tentje waar je iets kunt drinken. En dansen als je daar zin in hebt.'

'Daar ben ik niet zo goed in.'

'Ik ook niet, maar dat geeft niets. We zien wel. Ga je mee?'

Nina aarzelde heel even, maar hij leek nu weer net zo ontspannen en vrolijk als normaal. Misschien moest ze maar eens ophouden zo stijf en ouderwets te zijn. Hij was wat vlotter in zijn gedrag dan zij. Flirten en zoenen was voor hem heel gewoon. Dat kon toch? En voor mensen van hun leeftijd was het normaal om naar een club te gaan. Het lag aan haar en niet aan hem. Dat moest dan maar eens veranderen. Dus knikte ze. 'Ja, ik ga mee.'

De portier wierp een korte blik op Nico, knikte en liet hen toen meteen binnen.

'Kom je hier vaker?'

'Ja, bijna ieder weekend. Als ik niet moet werken.'

Geroutineerd loodste Nico haar tussen de andere bezoekers door naar de bar. 'Wat wil je drinken?'

'Eh... cola?'

'Met een tic?'

'Nee, zonder. Ik drink niet.'

'Waarom niet?' Weer die spottende blik in zijn ogen.

'In Amerika mag dat pas vanaf je eenentwintigste.'

'Daar kon je vast wel op de een of andere manier onderuit komen. Ik kan me niet voorstellen dat de jongeren daar allemaal aan de cola zitten.'

'Die waar ik mee optrok wel. En bovendien was ik verantwoordelijk voor kleine kinderen. Dan kun je niet aangeschoten thuiskomen van je vrije avond en de volgende ochtend met een kater aan het werk gaan. En dat is nu nog steeds zo.'

'Niet helemaal. Ten eerste zijn de regels in Nederland een stuk soepeler en ten tweede ben je al tweeëntwintig. En ten derde heb je morgen ook nog vrij, dus wat maakt het uit als je een kater hebt?'

141

'Ik wil het gewoon niet. Het is toch niet verplicht?'

'Nee, dat niet. Maar het hoort er gewoon bij.'

'Ik heb toch liever cola.'

Nico maakte een grimas naar de jongen achter de bar die had staan meeluisteren. 'Een cola en een bacootje, alsjeblieft.'

Met de drankjes in hun hand liepen ze naar een van de statafeltjes. Nico nam een grote slok van zijn drankje. 'Op ons.'

Nina knikte en nam ook een slok. Dat smaakte vreemd. Had hij de drankjes per ongeluk verwisseld? Ze wilde het vragen, maar zag dat Nico zijn glas al half leeg had. Dat had hij toch moeten proeven? Misschien lag het aan de kruiden in het eten.

Door de harde muziek was het bijna onmogelijk om te praten. Nina gaf het na een paar pogingen op en bleef in plaats daarvan om zich heen kijken. De cola liet ze toch maar staan. Het smaakte haar totaal niet. Nico was inmiddels al aan zijn vijfde drankje toe. Hij stond ongeduldig met zijn voet te tikken en trok haar toen ineens mee naar de dansvloer.

'Kom, dansen.'

'Maar...'

'Gewoon bewegen op de muziek, dat kan iedereen.'

Hij legde zijn handen op haar heupen en deed het voor. Nina probeerde mee te doen, maar ze kon de bewegingen niet goed volgen. En bovendien vond ze de manier waarop hij haar aanraakte niet echt prettig.

Nico greep haar glas van het tafeltje. 'Heb je geen dorst? Je hebt nog bijna niets op.'

Ze zag iets vreemds in zijn ogen en ineens besefte ze dat hij wel degelijk de drankjes had verwisseld. Maar dan met opzet. Hij probeerde haar dronken te voeren! Ze schudde haar hoofd.

'Ik heb geen dorst.'

'Natuurlijk wel.'

Hij duwde het glas tegen haar lippen en probeerde haar te laten drinken. Nina duwde zijn hand weg.

'Hou daar mee op, Nico. Ik denk dat ik nu liever naar huis wil.'

'Doe niet zo flauw.'

'Ik doe niet flauw, jij doet vervelend. Ik ga nu naar huis. Met of zonder jou.'

Ze draaide zich om en liet Nico simpelweg op de dansvloer staan. Ze zag uit haar ooghoeken dat het even duurde voor hij van zijn verbazing bekomen was, maar voor ze zich door de mensenmassa had gewurmd en de deur had bereikt, had hij haar al weer ingehaald.

'Ik breng je netjes thuis. Of wil je dat niet?'

Ze aarzelde. 'Misschien heb je een beetje te veel gedronken om veilig te kunnen rijden. Ik kan ook een taxi nemen. Of een nachtbus.'

'Zoveel heb ik niet gedronken, hoe kom je daar nou bij? De helft was gewone cola, net als die van jou.'

Ze betwijfelde dat, maar toen ze naar buiten liepen, leek hij redelijk helder. Misschien maakte ze er wel weer een veel te groot probleem van. Het was tenslotte maar een klein stukje rijden van de parkeergarage naar het huis van Sofie en Marco.

'Goed dan.'

Hij sloeg zijn arm om haar heen. 'Vond je het niet leuk?'

'Zo'n club is niets voor mij. Het spijt me. Maar ik vond de rest van ons avondje erg gezellig.'

Dat was ook niet helemaal waar, maar ze kon hem toch moeilijk de waarheid vertellen.

'Zullen we volgende week nog een poging doen? Misschien vind je een andere club leuker?'

'Ik denk het niet.'

'Iets anders? Een film?'

'Dat weet ik nog niet. Nu wil ik gewoon naar huis.'

Hoofdstuk 8

Zodra hij zijn auto de parkeergarage uitstuurde, besefte Nina dat ze het verkeerd had ingeschat. Nico was helemaal niet in staat om te rijden. Hij raakte vrijwel direct al een paaltje en kon een fietser maar net ontwijken.

'Zal ik rijden?'

'Waarom? Het gaat prima. Die idioten kijken allemaal niet uit.'

'Je hebt daarnet zes drankjes op en tijdens het eten ook al. Misschien was dat toch iets te veel.'

'Onzin! Ik kan prima tegen drank. En het waren er geen zes. Denk ik.'

Hij nam een bocht veel te wijd en stak zijn middelvinger op naar een tegenligger die waarschuwend toeterde.

Nina kon nog net een angstige gil onderdrukken. 'Nico, stop! Dit is echt niet veilig.'

Kwaad keek hij opzij. 'Wat een ongelooflijke zeurpiet ben jij! Je wilt niet zoenen, je wilt niet dansen, je wil niets drinken. En nu zit je weer te zeiken dat ik niet kan rijden omdat ik wat gedronken heb. Als jij niet zo belachelijk snel weg had willen gaan, was ik misschien te dronken geweest om te rijden. Maar nu gaat het best. Als jij tenminste stopt met zeuren.'

Hij gaf gas en reed door rood. 'Zie je wel, mijn reactievermogen is nog prima. Helemaal geen probleem. Het enige probleem ben jij. En ik zou je nooit een blik waardig gekeurd hebben als je niet...'

Ze keek hem verbijsterd aan, maar hij maakte zijn zin niet af omdat de auto in een slip raakte. In een moment dat stil leek te staan voelde ze dat hij de auto niet meer onder controle had. Ze gleden over de weg en kwamen tot stilstand tegen een boom. Daarna werd het zwart voor haar ogen.

'Nina, hoor je me?'
Nina probeerde haar ogen open te doen, maar dat viel niet mee. Het deed pijn. Ze wilde iets zeggen maar alles wat er over haar lippen kwam was een zacht gekreun.
'Doe maar rustig. Is het licht te fel?'
Ze knikte. Dat was het. Fel licht.
'Is dit beter?'
Ze probeerde het nog eens. Een schemerige kamer. Mensen die naar haar keken.
'Kun je iets zeggen?'
Ze herkende zijn stem. 'Diederik?'
'Ja, ik ben het. Weet je nog wat er gebeurd is?'
Ze fronste, maar dat deed pijn. Verbaasd voelde ze aan haar hoofd. Verband. Was ze gewond?
'Nico... hij had te veel gedronken. Ik zei dat hij moest stoppen, maar hij deed het niet. Hij reed door rood en toen... De auto slipte. Er was een klap. Ik weet het niet...'
'Jullie zijn tegen een boom gereden.'
'Oh.'
Ze wilde iets zeggen, maar zakte weg, tot ze ineens weer opschrok. 'Oh! Nico. Is hij...'
'Hij is er een stuk beter aan toe dan jij.'
Zelfs half buiten bewustzijn hoorde ze de woede in Diederiks stem.

'Hij zei… hij zei iets vreemds…'

'Dat zal best. Probeer te slapen. Je hebt een hoofdwond en waarschijnlijk een zware hersenschudding.'

'Zaagselbeving.' Dat zei haar vader altijd als ze haar hoofd gestoten had.

Ze hoorde hem zachtjes lachen, maar in het schemerdonker kon ze zijn gezicht niet zien. 'Ga slapen. Ik kom morgen nog even bij je kijken.'

Nina liet zich wegdrijven op de grijze flarden die in haar hoofd zaten, maar vlak voor ze echt in slaap viel, schrok ze weer wakker. Wat had Nico ook weer gezegd? Het was belangrijk, dat wist ze zeker, maar ze kon er niet meer opkomen. Hij had iets gezegd over een probleem en toen… Haar hoofd stak toen ze probeerde erop te komen en uiteindelijk gaf ze het op en viel in een onrustige slaap.

Ze werd gewekt door een vriendelijke verpleegster die haar een kopje thee gaf en een dienblad naast haar neerzette.

'Probeer iets te eten, maar niet te veel. Het kan zijn dat je er misselijk van wordt.'

'Ik heb geen trek.'

'Alleen een cracker kan toch wel? Je moet echt proberen iets te eten.'

'Ik zal mijn best doen.'

Nina keek om zich heen. Ze lag dus in het ziekenhuis. Dat was vannacht niet echt tot haar doorgedrongen. Het was een kleine kamer, waar maar twee bedden stonden. Het andere bed was leeg. Wat had Diederik ook al weer gezegd? Ze had een hoofdwond en waarschijnlijk een zware hersenschudding. Diederik? Hoe kwam ze daarbij? Dat kon toch niet? Ze had het zich vast verbeeld. Het was natuurlijk gewoon een andere arts geweest en haar door elkaar geschudde hersenen hadden haar laten horen wat ze wilde horen. Diederik, die bezorgd aan haar bed stond. Natuurlijk niet. Ze nam voorzichtig een hapje van haar cracker. Dat smaakte eigenlijk wel. Haar hoofd voelde ook niet zo heel vervelend meer. Misschien viel het mee met die hersenschudding. Ze hoopte het. Moest je met zoiets niet wekenlang in een donkere kamer liggen? Dat zag ze echt niet zitten! Of was dat achterhaald? Tenslotte ging je tegenwoordig na een blindedarmoperatie ook binnen drie dagen naar huis. Ze zou het aan Diederik vragen. Nee, aan de dokter. Niet aan Diederik. Waarom bleef ze toch aan Diederik denken? Zou die klap haar hersenen beschadigd hebben? En ze was al niet zo slim... Zou ze nu nog dommer zijn? Of kon dat niet? Ze voelde de paniek langzaam opbouwen in haar lichaam en haalde opgelucht adem toen ze de deur zag opengaan. Ze kon het aan de verpleegster vragen. Die zou...

'Diederik?'

Hij keek haar glimlachend aan. 'Je kijkt al een stuk helderder uit je ogen dan vannacht.'

'Was jij er vannacht? Ik dacht dat ik dat verzonnen had.'

'Nee, ik was er. Toevallig. Een collega was ziek en ik heb zijn dienst overgenomen.'

'Oh, dan ben ik toch niet helemaal in de war.'

'Nee, hoor, dat valt wel mee.'

Hij haalde een lampje uit zijn zak. 'Ik wil even wat kleine onderzoekjes doen.'

'Ik dacht dat je oncologie deed? Dat heeft hier toch niets mee te maken?'

Hij lachte. 'Je bent inderdaad weer behoorlijk helder. Nee, dat klopt. Maar ik werk op de spoedeisende hulp tot ik een onderzoeksplaats kan krijgen. Kijk naar het lampje.'

Ze deed wat hij vroeg en zei toen: 'Ik zat me net af te vragen hoeveel gevolgen zo'n klap heeft.'

'Dat probeer ik nu te bepalen, maar volgens mij valt het wel mee. Je bent alleen wat spraakzamer dan normaal, maar dat is niet zo'n ramp. Hoe voel je je verder? Duizelig?'

'Nee, maar ik heb nog niet rechtop gezeten.'

'Misschien moeten we dat dan maar even proberen.'

Hij hielp haar voorzichtig overeind. 'Lukt dat?'

Ze knikte. 'Ik voel me eigenlijk heel normaal. Een klein beetje licht in mijn hoofd, maar ik heb natuurlijk ook niet veel geslapen.'

'Dat noemen we duizelig. Heb je gisteren veel gedronken?'

'Nee, ik drink niet.' Nina herinnerde zich ineens weer wat Nico met de drankjes uitgehaald had. 'Maar ik denk dat ik wel wat binnengekregen heb. Niet veel, één of twee slokjes van zo'n colamix.'

'Dat kan nu geen invloed meer hebben, zelfs niet als je helemaal niets gewend bent. Vond je het niet lekker?'

'Hoezo?'

'Dat je het bij een paar slokjes gelaten hebt.'

'Nee, Nico...' Ze bedacht ineens dat Diederik daar eigenlijk niets mee te maken had en haalde haar schouders op. 'Ik vond het vies smaken.'

Diederik keek haar onderzoekend aan. 'Je verzwijgt iets.'

'Het is niet belangrijk.'

'Nico is zijn rijbewijs voorlopig kwijt. Hij reed door rood, had veel te veel gedronken en de keuring op zijn auto was verlopen.'

Toen Nina bleef zwijgen, vroeg hij: 'Vind je dat geen probleem?'

'Jawel, maar ik was toch al niet meer van plan met hem om te gaan. Hij is niet zo leuk als hij zich voordoet. Zachtjes uitgedrukt.'

Zag ze nu opluchting op zijn gezicht? Ach nee, weer verbeelding natuurlijk. En ze moest niet vergeten dat er niets veranderd was. Tenzij ze nog dommer was geworden door die klap, want dan was de tegenstelling tussen hen nog groter. Of zou je slimmer kunnen worden door een hersenschudding? Dat was vast een heel domme gedachte.

'Wat denk je allemaal? Je bent duidelijk heel diep in gedachten.'

Nina zuchtte. 'Ik weet het niet. Van alles.'

'Heb je hoofdpijn?'

'Niet echt. Zoals ik al zei, ik voel me eigenlijk niet heel slecht.'

'Dat kan nog komen. Soms duurt het even voor de gevolgen van zo'n klap merkbaar zijn.'

'Betekent dat dat ik hier moet blijven?'

'Als je dat wilt kan ik het regelen. Maar Sofie en Renske staan op de gang te popelen om je mee naar huis te nemen.'

Op haar vragende blik vulde hij aan: 'Niet om te werken, suffie. Ze zijn zich rot geschrokken toen ik hen belde vanochtend. Ze hebben al een compleet rooster opgesteld om te zorgen dat je nooit alleen thuis bent en ik begreep dat Maria van plan is meteen een beetje extra vlees op je botten te kweken, want je bent veel te mager. Dat zijn haar woorden, hoor. Volgens mij ben je gewoon tenger en verder kerngezond.'

Ze glimlachte. Hij was de eerste die dat snapte. 'Dat is ook zo. Maar ik kan toch wel gewoon weer aan het werk?'

'Dat lijkt me niet verstandig. Die hersenschudding lijkt mee te vallen, maar een paar dagen rust kan geen kwaad. Platliggen in een donkere kamer hoeft niet, maar je moet wel rustig aan doen de eerste tijd. Niet te veel lezen, televisiekijken of computerspelletjes doen.'

'Dat doe ik toch al weinig. Mag ik wel breien?'

'Alleen als het niet te inspannend is. Als je moe wordt, moet je daaraan toegeven.'

Ze voelde zich helemaal niet moe, alleen maar een beetje vreemd. Maar ze besloot maar niet tegen hem in te gaan. Als ze eenmaal thuis was, kon ze Sofie en Renske er vast wel van overtuigen dat ze fit genoeg was om normaal aan het werk te gaan.

Diederik maakte een aantekening op haar status en zei: 'Van mij mag je naar huis. Zal ik Sofie en Renske zeggen dat ze binnen mogen komen? Volgens mij hebben ze schone kleren voor je bij zich.'

Ze werd zich ineens bewust van het feit dat ze zo'n onflatteus ziekenhuishemd droeg en bloosde.

Aan zijn gezicht kon ze zien dat hij begreep waarom, maar gelukkig zei hij er niets over. Hij stond op van de rand van het bed waar hij tijdens het gesprek was gaan zitten. 'Ik kom als je thuis bent nog wel even bij je kijken. Tenzij je liever hebt dat je huisarts je onder controle houdt.' Het klonk ineens onzeker.

Ze glimlachte. 'Die ken ik niet eens. Maar als het voor jou te lastig is...'

'Natuurlijk niet. Je ziet me dan wel verschijnen.' Hij opende de deur en ze hoorde hem zeggen: 'Ze mag nu naar huis.'

Vrijwel direct kwamen Sofie en Renske naar binnen. Nina zag nog net dat Diederik achter hun rug groetend een hand opstak en ze glimlachte naar hem. Daarna werd ze ineens omstrengeld door twee paar armen. 'We zijn zo geschrokken!'

'Gelukkig ben je niet zwaargewond!'

Sofie schudde haar hoofd. 'Ik vermoedde wel dat Nico een beetje een losbol was, maar dit had ik niet verwacht, anders had ik je niet laten gaan. Ik voel me verantwoordelijk.'

Renske knikte. 'Ik ook. Toen ik hem zag, dacht ik nog dat hij me net iets te gladjes was. En dat blijkt. Waarom hadden we dat niet door?'

Nina haalde haar schouders op. 'Het was mijn eigen keuze. En ik had gewoon niet bij hem in de auto moeten stappen. Ik wist niet zeker hoeveel hij gedronken had en ik wilde hem niet nog meer irriteren dan ik al gedaan had. Maar dat was echt stom. Zelfs voor mij.'

Sofie schudde haar hoofd. 'Dat soort dingen moet je niet zeggen. Iedereen maakt wel eens een fout. En gelukkig ben je er redelijk goed uitgekomen.'

'Diederik zegt dat ik de eerste paar dagen niet mag werken, maar ik voel me best, hoor. Ik kan gewoon...'

'Geen sprake van. Deze week heb je vrij en de week daarna gaan we langzaam opbouwen. Als het van Diederik mag.'

'Maar...'

'Geen gemaar. Als je niet voorzichtig bent, kun je maandenlang klachten houden. Dat wil je toch niet? Trouwens, dat zou voor ons lastiger zijn dan een week of twee, drie aanpassen. Dus...'

Sofie grijnsde. 'Je hoort het.'

Nina lachte en bedacht verwonderd hoe lief ze allemaal voor haar waren. Zelfs Diederik. Ze had vanochtend niets van zijn normale stugheid gemerkt. Hij was echt zorgzaam en vaderlijk geweest. Iets vaderlijker dan ze zou willen... Oh, daar ging ze weer.

Ze liet zich door Renske onder de douche sturen en trok daarna de kleren aan die ze voor haar meegenomen hadden.

'Je mooie trui zit helemaal onder het bloed, maar dat krijgt Maria er vast wel uit,' zei Renske, terwijl ze Nina's kleren van de vorige avond in een tas stopte.

Nina keek geschrokken naar de kledingstukken. 'Je rok! Dat vind ik veel erger!'

'Waarom? Ik paste er toch niet meer in. Hou nou eens op met je schuldig voelen. Dit is jouw fout niet!'

Nina voelde de tranen achter haar ogen prikken. Renske sloeg een arm om haar heen. 'Echt niet. Ik zou ook met Nico meegegaan zijn, als ik in jouw schoenen gestaan had. Het is een knappe knul en ik begreep van Sofie dat hij heel leuk kan flirten.'

'Ja, maar je kunt geen normaal gesprek met hem voeren. Hij is... ik weet het niet. En hij zat met iemand anders te flirten terwijl wij samen zaten te eten.' Dat schoot haar ineens weer te binnen. Maar wat had hij ook weer gezegd voor zijn auto in een slip raakte?

'Echt waar? Wat een eikel!'

'Hij zei later... hij zei dat hij me geen blik waardig gekeurd zou hebben als...'

'Als wat?'

'Dat weet ik niet. Daarna ging het mis. Ik weet niet of hij zijn zin wel afgemaakt heeft.'

'Nou, het begin ervan zegt genoeg. Die knul komt er niet meer in. Bij de studio is hij ook al ontslagen.'

'Door mij? Maar dat...'

'Nee, een paar dagen eerder al. Hij deed gewoon zijn werk niet goed en ik heb iets gehoord over diefstal, maar daar weet ik het fijne niet van.'

Renske snoof. 'Lekker ventje. Waarom heb je dat niet gezegd toen ze met hem uitging?'

'Ik hoorde het pas toen ze al weg waren. Lianne belde me gister-avond. Om eerlijk te zijn heb ik wel overwogen je te bellen om je te waarschuwen, Nina, maar ik vond dat we hem het voordeel van de twijfel moesten geven. Had ik dat maar niet gedaan. Je had wel dood kunnen zijn.'

'Maar dat ben ik niet. Ik heb er weinig aan overgehouden en ik heb er veel van geleerd.'

'Van geleerd?'

'Ik ging met hem mee omdat ik mezelf zo saai vond. Dat vind ik nog steeds, maar blijkbaar is dat toch een stuk veiliger.'

'Jij bent helemaal niet saai.'

'Ik ga nooit uit, ik kan niet dansen en ik drink niet.'

'Nou en? Je bent een hartstikke leuke meid, je bent geweldig in je werk en je bent nog een kunstenaar ook.'

'Een kunstenaar?'

'Met garen. Wat jij maakt is echt meer dan alleen maar een beetje breien.'

Nina bloosde en haalde toen zwijgend haar schouders op.

Sofie lachte. 'Je moet alleen nog leren complimentjes in ontvangst te nemen. Maar daar ga ik je nu niet mee vermoeien. Ben je klaar? Dan gaan we naar huis. Ik heb Marco's auto meegenomen, die is wat comfortabeler dan mijn karretje.'

Ook thuis werd Nina ontvangen alsof ze een lang verlorengewaand familielid was. Zelfs Roos was zwaar onder de indruk.

'Heb jij een snee op je hoofd?'

Nina knikte.

'Een hele grote? Moest jij hechtingen? Esmees broertje had dat ook. Doet het pijn?'

'Nee, hoor, dat valt wel mee. En ik weet eigenlijk niet of ik hechtingen heb. Dat ben ik vergeten te vragen.'

'Het is een behoorlijke jaap, dus ja. Maar je hebt geluk gehad. Diederik heeft het gehecht en hij heeft ervaring als plastisch chirurg. Ik vermoed dus dat het heel netjes gedaan is, dat kun je aan hem wel overlaten.' Marco knikte haar geruststellend toe.

Plastisch chirurg? Nina herinnerde zich dat hij iets had gezegd over een privékliniek, maar ze had niet beseft wat dat inhield. En waarom werkte hij nu dan weer in een gewoon ziekenhuis?

Blijkbaar waren de vragen op haar gezicht te lezen. Marco glimlachte. 'Wist je dat niet? Hij dacht voor het grote geld te gaan, maar dat viel toch ook tegen.'

Renske knikte. 'Diederik is nog steeds een beetje op zoek naar wat hij met zijn studie wil doen. Hij is het idealisme van vroeger kwijt, maar de andere kant ligt hem ook niet. Ik hoop nog steeds dat hij binnenkort een plaats in een onderzoekscentrum krijgt aangeboden. Dat is veel meer iets voor hem dan contact met patiënten. Zijn *bedside manners* zijn niet zo heel goed.'

'Is dat zo? Hij was vanochtend heel vriendelijk.'

Waarom glimlachte Renske nu zo veelbetekenend?

Nina bloosde. 'Er is echt niets tussen ons. Dat kan helemaal niet.'

'Dat zeg je steeds. Waarom denk je dat toch?'

Het antwoord werd haar bespaard doordat één van de baby's begon te huilen. Automatisch wilde Nina opstaan om te helpen.

'Nee, jij blijft zitten.' Renske duwde haar terug in de stoel waarin ze haar geïnstalleerd hadden.

Nina zuchtte. 'Dit hou ik geen week vol...'

Tot haar verbazing kwam Diederik die avond alweer langs.

'Hoe is het met de patiënt?'

Nina haalde haar schouders op. 'Niet veel anders dan vanochtend, denk ik.'

'Zit je de hele dag al hier?'

'Nee, ze hebben me na de lunch in bed gestopt, alsof ik een klein kind ben.'

'Goed zo. Je moet echt voorzichtig zijn. Of wil je beweren dat je je zo goed voelt? Ik kan aan je zien dat dat niet zo is.'

'Om eerlijk te zijn heb ik barstende hoofdpijn. En het lijkt wel of mijn lichaam niet meer wil luisteren naar wat ik wil. Zelfs het simpelste stukje breiwerk lukt niet meer. Blijft dat zo?'

'Als je jezelf de kans geeft uit te rusten niet. Opstandig zijn is dus absoluut niet verstandig. Heb je al een pijnstiller genomen tegen die hoofdpijn?'

'Nog niet.'

'Dan ga ik die even voor je halen. Nee, jij blijft zitten.'

Nina keek hem na. Ze hoopte eigenlijk dat hij niet zo lief bleef doen, want dan werd het wel heel moeilijk om te blijven volhouden dat ze niets voor hem voelde. En waarom deed hij dat eigenlijk? Hij zou toch zelf wel snappen dat ze veel te dom was om zijn vrouw te zijn? Of had hij dat niet door? Misschien moest ze hem dat maar eens vertellen dan. Maar dat zou wel heel pijnlijk zijn...

Hij kwam weer binnen, met een doosje pijnstillers en een glas water. Zorgzaam drukte hij twee tabletten uit de strip. 'Alsjeblieft. En als ze aangeslagen zijn, kun je het beste gewoon naar bed gaan en proberen te slapen.'

Eigenlijk wilde ze tegenstribbelen, want het was nog maar net acht uur. Maar ze besefte ineens dat ze doodop was. Dus knikte ze gehoorzaam.

Hij lachte. 'Te moe om te protesteren?'

'Ja, doodop. Belachelijk eigenlijk, want ik heb vandaag nog helemaal niets gedaan.'

'Gewoon aan toegeven.'

Nina zuchtte. 'Daar hou ik niet van. Ik ben gewend om door te gaan zolang het nodig is. En dat kon ik ook altijd. Blijft dit zo?'

'Dat vroeg je vanochtend ook al. Nee, dat gaat weer over. Als je maar voorzichtig bent en een beetje rustig aan doet.'

'Oh ja. Mijn geheugen is er dus ook niet beter op geworden. En dat was al niet best.'

'Dat hoort er gewoon bij. En dat gaat ook weer over.' Ze zag iets in zijn ogen dat ze niet begreep. Was het irritatie? Zie je wel, hij kon niet met mensen overweg die zo dom waren als zij.

'Sorry, stoor ik?' Sofie kwam binnen en wilde zich alweer omdraaien, maar Diederik stond op.

'Nee, helemaal niet. Ik heb Nina een pijnstiller gegeven, zodat ze kan slapen. Wil jij erop letten dat ze zo ook echt naar bed gaat?' Hij draaide zich bij de deur nog even om. 'Ik kom morgen nog wel even kijken. Welterusten, Nina.'

Voor ze de kans had om antwoord te geven was hij verdwenen.

'Je hoorde het,' Sofie stak haar hand uit. 'Kom uit die stoel, dan breng ik je naar boven.'

'Ik kan...'

'Zelf wel lopen. Dat weet ik, maar je bent duizelig en ik wil niet dat je alleen op de trap loopt. Stel je voor dat je je evenwicht verliest.'

'Dat gebeurt niet. Ik wil jullie niet zo tot last zijn.'

'Dat ben je niet.'

Sofie sloeg haar arm om Nina heen. 'We beschouwen je als een lid van ons gezin en het is niet meer dan logisch dat we voor je zorgen nu je in de lappenmand zit.'

Nina knikte, maar diep in haar hart was ze bang dat Sofie wel van mening zou veranderen als het te lang zou duren. Als puntje bij paaltje kwam, was ze toch gewoon een werkneemster. Dat was destijds met Andrew maar weer gebleken. Zijn zus had in eerste instantie ook beweerd dat ze vriendinnen waren, maar dat was snel omgeslagen toen het erop leek dat ze schoonzussen zouden worden.

Daarom hield ze zich op de vlakte, ook al zag ze dat Sofie heel teleurgesteld keek toen ze niet positief op haar uitspraken rea-geerde.

Hoofdstuk 9

Nina voelde wel dat ze de rust echt nodig had, maar ze verveelde zich verschrikkelijk. Ze kon moeilijk de hele dag gaan zitten handwerken. Trouwens, breien lukte ook niet echt. Op de een of andere manier kon ze er de concentratie niet voor opbrengen. En ze voelde zich verschrikkelijk opgelaten als ze zag dat Sofie en Renske zich moesten haasten om Roos op te halen of de baby's op tijd te voeden. Ze moest echt zo snel mogelijk weer aan het werk.

Maar Diederik was het daar niet mee eens. 'Nu we een week verder zijn, mag je wel weer wat doen, maar nog niet alles wat je hiervoor deed.'

'Zoveel was dat niet.'

'Daar denken ze hier anders over. Nu jij niet meer overal bijspringt, hebben ze pas door wat je allemaal deed op een dag. Je mag best weer af en toe oppassen, of Roos ophalen, maar ik wil niet dat je alles weer gaat doen. Dat kan echt niet.'

'Ik ben niet duizelig meer. En ook niet zo moe. Ik kan me alleen zo slecht concentreren. Echt heel irritant.'

'En je bent nog steeds spraakzamer dan je eerst was.'

Ze haalde haar schouders op. 'Jij ook.'

'Dat is waar. Misschien zijn we wel gewoon aan elkaar gewend nu.'

'Dat zal het zijn.'

Hij boog zich naar haar toe. 'Of is het iets anders? Ik voel me bij jou veel meer op mijn gemak dan bij anderen. Veel meer ontspannen. Bij anderen, zelfs bij Renske, heb ik altijd het gevoel dat ik op mijn hoede moet zijn. Bij jou heb ik dat niet.' Peinzend vervolgde hij: 'Ik ben altijd bang dat mensen me niet meer kunnen volgen als ik gewoon zeg wat ik denk. Ik kan er niets aan doen dat ik zo intelligent ben, maar mensen denken altijd dat ik de betweter uit wil hangen. Maar vaak heb ik niet eens door dat wat ik zeg hen boven de pet gaat. Voor mij zijn dingen soms zo simpel, dat ik vergeet dat niet iedereen alles snapt.'

Nina verstijfde. Zij snapte zeker niet alles. Daar was ze te dom voor. Had hij dat nog niet door? Ze had inderdaad nooit het gevoel dat ze hem niet kon volgen, maar als hij al het idee had dat andere mensen hem niet begrepen, kon zij hem in ieder geval niet begrijpen. Ze was blijkbaar zelfs zo dom dat ze niet eens door had dat hij dingen besprak die te moeilijk voor haar waren. Wat moest ze nu zeggen?

Diederik keek haar aan. 'Wat is er?'

'Niets. Mijn hoofd begint weer pijn te doen.' Dat was een leugen, maar ze wist niet hoe ze anders moest zorgen dat hij stopte met praten. Misschien was het wel beter, maar het idee dat hij hardop zou uitspreken dat ze te dom voor hem was, deed te veel pijn. Het was beter om hem gewoon op een afstand te houden.

'Hoofdpijn?' Zijn ogen gleden over haar gezicht.

'Niet zo erg, gewoon een steekje.' Hij was in ieder geval afgeleid van het onderwerp.

'Het is al weer over.' Ze lachte. 'En ik wilde nog wel zeggen dat ik dinsdag toch wel graag met Sofie naar de studio wil. Renske heeft die dag ook een afspraak, dus het wordt toch al ingewikkeld om Roos op te vangen. Maar Sofie heeft een paar heel belangrijke scenes op te nemen voor de eerste aflevering, dus het kan niet verzet worden.'

'Tja... ik weet niet of het verstandig is om daar een hele dag te gaan zitten.'

'Zoveel inspanning is het niet. En voor het geval je nu denkt dat zij het me gevraagd hebben, dat is niet zo. Ik hoorde dat ze aan het overleggen waren hoe ze het moesten oplossen, en toen heb ik gezegd dat ik gewoon meeging.'

'Wat doe je daar precies op zo'n dag?'

'Niet veel. Bij de baby's zitten, een beetje breien.'

'En de rest.' Sofie was binnengekomen en had haar laatste woorden gehoord. 'Je doet wel wat meer dan dat. Het enige wat ik hoef te doen is ze de borst geven, de rest vang jij op. En dan zorg je ook nog voor mij.' Ze keek Diederik aan. 'Waar ze het vandaan haalt, weet ik niet, maar er staat altijd vers sap, broodjes, koffie, precies wat ik nodig heb. De kleedkamer is altijd opgeruimd en ik hoef nooit ergens om te denken, want dan heeft zij het al gedaan. En ik denk dus dat het morgen nog veel te veel inspanning voor haar is, maar ze wil het niet van mij aanvaarden.'

'En nu wil je dat ik mijn mening erover zeg?'

'Eigenlijk wil ik dat je je veto erover uitspreekt. Al zou ik niet weten hoe ik het dan moet oplossen, maar ik vind er wel wat op. We hadden het zo mooi geregeld. Roos zou bij Esmee spelen tussen de middag en Peter zou haar na school opvangen. Maar toen kwam die afspraak ertussen en die is heel belangrijk voor Renske. Ik denk dus dat ik toch de studio maar ga bellen dat ik niet kan komen. Of in ieder geval niet zo vroeg. We zouden na Renskes afspraak kunnen gaan, dan zijn we er om een uur of half één. Ja, laat ik dat maar doen.'

'Dat kun je niet maken, je hebt belangrijke opnames. Ik kan het best en...'

Diederik hief gebiedend zijn hand op. 'Wacht even. Ik denk dat ik de oplossing heb. Ik heb morgen vrij. Ik wacht Renske op na haar afspraak, breng haar naar de studio en neem Nina mee naar huis. Een ochtendje moet ze wel aankunnen, zeker als ze daarna gaat rusten.'

'Dat is een geweldig idee! Gelukkig heeft Rens nu ook een eigen autootje, dus vervoer is geen probleem.'

Nina knikte langzaam, maar besefte dat haar plan om afstand te houden op die manier wel aardig de mist inging. Hoe kon ze nu afstand houden als ze een uur met hem alleen in de auto zou zitten?

'Gaat het echt nog wel?' Sofie keek Nina bezorgd aan.

'Ja, echt. Ik ben best moe, maar Renske komt over een halfuurtje al. Dat hou ik nog wel even vol. De jongens slapen, dus ik hoef echt alleen maar te zitten. Concentreer jij je nou maar op je grote openingsscène.' Nina lachte. 'Het blijft raar, dat je er al weken opnames op hebt zitten en nu pas die allereerste scène gaat doen.'

'Ja, dat is ook best vreemd. Maar het voordeel is wel dat ik nu al helemaal in mijn karakter zit. De allereerste opnames waren nog wat onwennig, maar dat is dan niet het eerste wat mensen ervan zien.'

'Dat is ook weer waar.'

Er klonk geroep in de gang. Sofie stond op. 'Ik moet weer. Blijf rustig zitten tot Renske komt, oké?' Ze maakte een gebaar naar de rommel die in de kleedkamer verspreid lag. 'Mijn troep laat je gewoon liggen. Ik schaam me dood, maar het was echt even haasten geblazen, zo'n complete kledingwissel met die voeding er nog tussendoor.'

Nina knikte gehoorzaam, maar zodra Sofie de kleedkamer verlaten had, stond ze op. Ze wilde liever iets te doen hebben, want als ze stilzat, bleef ze maar piekeren over wat ze straks tegen Diederik moest zeggen. Het was duidelijk waar hij de vorige keer heen wilde en ze was bang dat hij er nog een keer over zou beginnen. Al dat gepieker haalde toch niets uit, dus wilde ze liever iets te doen hebben.

Toen de deur openging voelde ze haar hart een slag overslaan, maar Nina vermande zich en draaide zich lachend om, in de verwachting Diederik en Renske te zien. Ze verstijfde.

'Nico. Wat doe jij hier?'

Hij grijnsde. 'Verwachtte je iemand anders?'

'Jou niet, in ieder geval.'

'Nee, want ik ben ontslagen.' Hij keek haar nijdig aan.

'Daar kan ik niets aan doen.'

'Maar het kwam je wel goed uit, hè? Ik was wel leuk om mee te flirten als je je verveelde tijdens je werk, maar je voelde je te goed om gezellig met me uit te gaan.'

'Ik bèn met je uit geweest.'

'Maar niet gezellig. Kom op, zeg. Geen enkel drankje? Dat slaat gewoon nergens op.'

'Voor mij wel.'

Hij haalde zijn schouders op. 'Het zal wel, maar het doet er niet toe. Ik ben hier om mijn werk af te maken.'

Tot haar schrik haalde hij een pistool uit zijn binnenzak. 'Liggen die twee brulapen daar?' Hij gebaarde naar de kinderwagen.

'Waarom wil je dat weten?'

Hij richtte het pistool op haar. 'Doe niet zo moeilijk. Liggen ze daar?'

'Ja.'

'Mooi. Jij en ik gaan gezellig een stukje met ze wandelen.'

'Dat wil ik niet.' Was het verstandig om te zeggen dat ze Diederik en Renske verwachtte? Nina besloot het nog even af te wachten.

'Jij hebt niets te willen. Ik heb al veel te veel tijd verspild door te denken dat ik jou kon bewerken om me mee te helpen. Maar je was toch net iets minder dom dan ik dacht. Dus nu doen we het maar op de simpele manier: met geweld.'

'Maar waarom? Wat wil je?' Nina liep langzaam naar de kinderwagen.

'Losgeld natuurlijk. Jouw werkgevers hebben wel wat miljoentjes over.'

'Doe niet zo stom! Natuurlijk niet. Zo rijk zijn ze helemaal niet.'

'Dat zullen we zien. Ik denk van wel.' Hij maakte een ongeduldig gebaar met het pistool. 'Nou, schiet op. We lopen rustig naar buiten. En als we iemand tegenkomen, doe je net of we het heel gezellig hebben samen.' Hij grijnsde vals. 'Misschien wil je me nu zelfs wel iets meer dan een simpel kusje geven.'

Ze trok onbewust een vies gezicht. 'Nooit!'

Hij haalde uit en sloeg hard tegen haar wang. Het deed verschrikkelijk zeer en de tranen sprongen haar in de ogen, maar ze klemde haar kaken op elkaar en gaf geen kik.

'Gaan we dapper doen? We zullen zien hoe lang je dat volhoudt.' Nico deed de deur voor haar open. 'Maar eerst gaan we wandelen. Rustig lopen en geen gekke dingen uithalen. Maak niet de fout om te denken dat ik die twee knulletjes zal ontzien. Ik heb er maar eentje nodig om mijn geld te krijgen. Wil je een demonstratie van wat ik met ze kan doen?'

Ze kon aan hem zien dat hij het meende. 'Nee! Niet doen. Ik doe wat je zegt.'

Zo rustig mogelijk duwde ze de brede kinderwagen de kleedkamer uit. Nico liep achter haar aan. De lange gang maakte een bocht voor ze de buitendeur zouden bereiken.

'Nina? Wat ga je doen?'

Diederik keek gealarmeerd van Nico naar haar. Nina wilde dat er een manier was om hem te waarschuwen, maar wat kon ze doen? Hoewel haar wang ongetwijfeld blauw zou worden, betwijfelde ze of Diederik dat bij het zwakke licht in de gang kon zien. Was ze maar in de studio, daar was het licht genoeg. Ze realiseerde zich ineens dat ze naast de twee grote klapdeuren van de opnamestudio stonden. Haar ogen gleden naar de deuren en terug. Ze zag dat Diederik haar blik volgde. Nico gaf haar een por. Ze kuchte. 'Wij gaan een stukje wandelen. Wat doe jij hier?'

Zou hij snappen dat er iets niet klopte als ze dat vroeg? Want natuurlijk wist ze heel goed waarom hij hier was en het was absoluut niet logisch dat ze dat vroeg. Net zoals het niet klopte dat ze nu ging wandelen, maar dat wist Nico allemaal niet.

Diederik haalde nonchalant zijn schouders op. 'Sofie vroeg of ik eens kwam kijken en ik had vandaag toch niets te doen.'

Onopvallend schoof hij dichter naar Nina en Nico toe. 'Jij bent Nico toch? Volgens mij hebben we elkaar een keer gezien bij Sofie thuis.' Hij stak zijn hand uit en stapte tussen Nina en Nico in. Nina reageerde direct en duwde resoluut de kinderwagen door de klapdeuren de studio in.

'Hé, ben je gek geworden!' Er kwam iemand woedend op haar af, maar ze schudde haar hoofd en riep: 'Help! Nico is hier, hij heeft een pistool. Help!'

De beveiligingsman, die eigenlijk was toegesneld om haar de deur weer uit te werken, was gelukkig snel van begrip. Voor hij echter de deur bereikt had, hoorde ze een schot.

'Nee! Diederik! Nee!'

Ze wilde terugrennen, maar werd tegengehouden. Een paar andere mannen volgden de beveiliger.

'Blijf hier, Nina. Je kunt niets doen.' Renske duwde haar zachtjes in de richting van een stoel terwijl Sofie zich bezorgd over de kinderwagen boog.

'Het is mijn schuld als Diederik...'

'Natuurlijk niet.'

'Nico... Hij wilde ze ontvoeren. Hij had het over miljoenen losgeld. Daarom had hij met mij aangepapt. Om dichter bij ze te komen.'

'Miljoenen? Zo rijk zijn we niet.'

'Dat zei ik ook, maar hij...' Ze huiverde. 'Hij is echt gek. Hij zei dat hij er maar één nodig had om het geld los te krijgen en dat hij de ander dus... Ik moest wel meelopen. En toen stond Diederik ineens in de gang.'

'Ik ben even de studio ingewipt om naar Sofie te kijken. Hij wilde meteen naar jou toe. Gelukkig maar, want anders waren we je misgelopen...'

De studiodeur ging open en een van de mannen kwam terug. 'Kan iemand de politie bellen? En is er iemand die een drukverband kan aanleggen? Die sukkel heeft zichzelf in zijn been geschoten.'

Nina stond op. 'Diederik? Waar is Diederik?'

'Ik ben hier. Maak je geen zorgen, ik ben in orde.' Diederik liep naar haar toe. 'Jij ook? Wat heeft hij met je gedaan?'

'Geslagen. Maar het valt mee, het voelt alleen maar beurs.'

Koele doktershanden gleden over haar gezicht. 'Het zal wel blauw worden, maar het voelt niet beschadigd. Heeft hij je verder niets gedaan?'

'Nee. Hij had me nodig om met de tweeling de deur uit te komen. Maar jij... ik hoorde een schot.'

'Ik was net niet op tijd om hem dat ding af te pakken, maar ik kon hem wel omver duwen. Hoe hij het voor elkaar kreeg zichzelf neer te schieten, weet ik nog niet. Daar moet je wel heel onhandig voor zijn.'

'Hij had weer gedronken.' Dat had ze aan zijn adem geroken.

'Dat verklaart wel wat, ja. Wat was hij van plan?'

'De tweeling ontvoeren en losgeld vragen.'

'Wat een eikel.'

'Hij was het al weken van plan. Dat was de reden waarom hij met me flirtte.' Ze zuchtte. 'Ik had ook moeten snappen dat daar iets achter zat!'

'Waarom? Nee, laat maar. Daar hebben we het nog wel over. Laten we eerst de boel hier maar afhandelen. We zullen allebei wel een verklaring af moeten leggen.'

'Ik begreep van meneer...' Rechercheur Willemsen controleerde zijn aantekeningen, '...meneer De Lange, dat we het aan u te danken hebben dat we geen ontvoeringszaak op te lossen hebben.'

Nina keek hem vragend aan. 'Aan mij?'

'U heeft hem op zeer slimme wijze gewaarschuwd dat er iets mis was en direct de kans gegrepen de kinderen uit de gevarenzone te halen.'

'Oh... tja. Maar hij...'

'Misschien kunnen we beter bij het begin beginnen? Vertelt u eens, kende u Nico Jansma al lang?'

'Sinds ik voor het eerst meeging naar de studio.' Ze vertelde zo duidelijk mogelijk hoe hij met haar geflirt had en wat er gebeurd was toen ze met hem uitging.

'U was dus niet bepaald blij hem te zien?'

'Nee, natuurlijk niet. Ik was bang. Hij keek heel gemeen en ik kon ruiken dat hij gedronken had.'

Nadat ze gedetailleerd had verteld wat er daarna gebeurd was, knikte hij. 'Dat is helemaal duidelijk. U hebt een goed geheugen. En ik ben het met meneer De Lange eens. U bent bijzonder slim geweest.'

'Ik dacht er niet echt bij na. Ik weet niet waarom ik dat deed.'

De man lachte. 'U bent niet zo goed in het ontvangen van complimentjes.'

'Ik ben niet slim. Juist niet.'

'Volgens mij wel.' De rechercheur typte nog iets in op zijn computer en drukte vervolgens op een knop. 'Leest u de verklaring even door. Als u het ermee eens bent, kunt u het ondertekenen.'

Ze keek ontzet naar de grote hoeveelheid tekst op het stuk papier dat hij voor haar neerlegde. 'Dat kan even duren.'

'Neem rustig de tijd, dat is geen probleem.'

Nina vroeg zich af of ze moest zeggen dat ze dyslectisch was, maar wat had dat voor nut? Ze moest dit toch lezen. Het probleem was ook niet dat ze dat niet kon, maar ze werd er altijd zo onzeker van als mensen wachtten terwijl ze las. Dan raakte ze in de war en ging het nog lastiger. Maar Willemsen stond op. 'Ik laat u even alleen. Wilt u koffie of thee?'

'Thee, graag.'

Hij verliet de kamer en Nina slaakte een zucht van verlichting. Geconcentreerd boog ze zich over het vel papier. Toen ze alles gelezen had, zette ze haar handtekening. Precies op dat moment kwam Willemsen binnen met een beker thee in zijn handen.

'U zat zo geconcentreerd te lezen, dat ik maar even gewacht heb.' Nina bloosde. 'Ik heb dyslexie, dus het gaat bij mij wat moeizamer dan bij de meeste mensen.'

'Dat is toch geen probleem? Mijn kleinzoon heeft dat ook, maar gelukkig is er tegenwoordig steeds meer begrip voor. Zoals het er nu uitziet kan hij zelfs naar het vwo.'

'Dat is fijn voor hem.'

'Maar jij hebt blijkbaar andere ervaringen.' Hij schakelde soepel van het vormelijke 'u' over naar het vertrouwelijke 'jij'. Nina vond dat niet erg. Hij was erg aardig en het klonk wel prettig vaderlijk.

'Ik kan niet zo goed leren.'

'Dat betekent niet dat je dom bent.'

Ze haalde haar schouders op. 'Ik wel.'

Willemsen keek haar onderzoekend aan. 'Wie heeft je dat wijsgemaakt?' Hij tikte met zijn vinger op het verslag dat ze net ondertekend had. 'Uit wat ik hier genoteerd heb, blijkt juist dat jij behoorlijk slim bent. Misschien heb je niet de juiste begeleiding gehad en het daardoor op school niet gered, maar je bent absoluut niet dom. Wil je dat van een man die al heel veel mensen gezien heeft, aannemen?'

Nina knikte. 'U bent erg vriendelijk.'

'Maar je gelooft me niet. Weet je wat dom is? Toestaan dat je leven verpest wordt door een etiket dat je is opgeplakt door mensen die je niet begrijpen.'

'Mijn leven is niet verpest. Ik...' Nog niet. Maar hoe zou ze zich voelen als Diederik uit haar leven verdween?

De rechercheur glimlachte. 'Ik geloof dat daar een lampje gaat branden.' Hij pakte de verklaring en stopte die in een dossiermap. 'Wat mij betreft zijn we hier klaar.'

Hij stond op en opende de deur. 'U mag nu naar binnen.' Hij lachte tegen Nina. 'Je jongeman was nogal ongeduldig. Tot ziens.'

'Ze is herstellende van een hersenschudding en ze heeft vandaag genoeg meegemaakt,' zei Diederik verontschuldigend.

'Ik moest toch een verklaring afleggen?'

'Ja, maar waarom liet hij je daarna zo lang wachten?'

'Ik moest het doorlezen en ondertekenen.'

Ze voelde dat ze rood werd. Kon ze het niet beter gewoon zeggen? Nee, dit was niet het juiste moment om het hem te vertellen. Diederik keek haar onderzoekend aan, maar zei kalm: 'Wij rijden samen naar huis in Renskes auto. Zij en Sofie zijn al naar huis met de kleintjes.'

Nina knikte. Ze merkte ineens hoe moe ze was en liet zich door Diederik meenemen naar buiten. Hij hield het portier voor haar open en ze herinnerde zich ineens hoe galant Nico dat gedaan had. En nu zou hij haar even galant vermoord hebben als het nodig was... Ze voelde dat ze begon te trillen. Ze zuchtte een paar keer diep om de tranen die ze op voelde komen tegen te houden, maar ineens lukte dat niet meer. Ze snikte en de tranen stroomden over haar wangen.

Diederik had het portier dicht gedaan en was aan de andere kant snel ingestapt. Hij sloeg zijn arm om Nina heen en trok haar tegen zich aan. 'Dat zat er al een tijdje aan te komen. Je hebt je al veel te lang groot gehouden. Eerst dat ongeluk al en nu dit weer. Huil maar eens goed uit.'

Eigenlijk wilde ze het tegenhouden, maar de warmte in zijn stem en de tederheid waarmee hij haar vasthield waren genoeg om al haar weerstand te breken. Ze liet zich gaan en koesterde zich in zijn troostende omhelzing.

Na een paar minuten kwam ze overeind en veegde haar ogen af. 'Het spijt me.'

'Wat spijt je? Dit is een volkomen normale reactie. Tenminste, ik had verwacht dat het langer zou duren. Jij herstelt je heel snel, dat is me al vaker opgevallen.'

Dankbaar pakte ze de tissues die hij haar voorhield aan. Ze snoot haar neus en bedacht cynisch dat het maar goed was dat ze nooit make-up droeg. Nu hoefde ze zich in ieder geval niet druk te maken of het niet uitgelopen was.

'Waar denk je aan? Jouw gezicht spreekt altijd boekdelen, maar nu kan ik niet thuisbrengen wat er in je omgaat.'

Ze lachte. 'Ik dacht aan de uitgelopen make-up waar ik me geen zorgen over hoef te maken. Wat natuurlijk helemaal stom is, want nu dacht ik er evengoed over na.'

'Ik ben dol op jouw gedachtesprongen.'

Ze was zich er ineens heel erg van bewust dat zijn arm nog steeds om haar schouder lag, maar ze wilde hem toch niet afschudden. Dat zou onbeleefd zijn. En jammer, want het voelde wel erg fijn.

'Waarom ben je nu weer zo gespannen? Dat doe je iedere keer als ik probeer je te vertellen wat ik voor je voel.'

Nina voelde haar hart bonzen, maar ze gaf geen antwoord. Diederik vervolgde: 'Je weet toch wel wat ik steeds probeer te zeggen?'

Ze knikte.

'Nina, ik hou van je.' Zijn lippen gleden over haar wang in de richting van haar mond. Heel even was ze in de verleiding om eraan toe te geven, maar toen trok ze haar hoofd terug. De gekwetste uitdrukking op zijn gezicht deed haar ook pijn.

Diederik ging rechtop zitten en trok zijn arm terug. 'Het spijt me. Dat had ik niet moeten zeggen. Niet nu. Zeker niet nu je zo van streek bent.' Hij keek haar aan met een wanhopige uitdrukking op zijn gezicht. 'Maar... ik dacht... je voelt dus niet hetzelfde voor mij?'

'Nee.' Het was beter om te liegen. Ze kon het beter afbreken voor het begon. Het deed nog veel meer pijn als het mis ging. En het zou gegarandeerd misgaan. Dat kon niet anders.

'Echt niet?' Hij zuchtte. 'Sorry. Ik zal niet aandringen. Maar ik wil wel dat je weet dat ik zelfs voor Renske nooit heb gevoeld wat ik voor jou voel. Bij jou kan ik mezelf zijn. Bij jou kan ik me ontspannen.'

'We passen niet bij elkaar.'

'Waarom niet?'

'Gewoon. We zijn te verschillend.'

'Wat maakt dat nou uit?'

Nina schudde haar hoofd. Een traan biggelde over haar wang. Diederik veegde die voorzichtig weg. 'Niet huilen. Het is mijn fout. Ik had er niet over moeten beginnen.'

Dat tedere gebaar zorgde ervoor dat ze nog harder ging huilen, maar Diederik negeerde het verder en reed zwijgend naar huis.

Toen Nina binnenkwam, zat Sofie nog in de huiskamer. 'Sorry dat ik zo laat ben.'

'Dat geeft niets. Ik wist toch dat je bij Diederik was? Ik heb alleen niet het idee dat jullie een prettig gesprek hebben gehad. Je kijkt niet echt vrolijk.'

'Ik heb gewoon hoofdpijn. Het was een drukke dag.' Dat smoesje gebruikte ze de laatste tijd wel vaker. Eigenlijk schaamde ze zich ervoor, want sinds haar hersenschudding begonnen mensen zich dan meteen zorgen te maken.

'Het was zeker een drukke dag. En een heel emotionele ook, vooral voor jou.'

Nina wilde er niet over praten. Iedereen deed alsof ze een heldin was, maar zelf dacht ze daar heel anders over. Ze had Nico veel eerder door moeten hebben. Ze had hem de kans gegeven.

Dat bewees maar weer hoe dom ze eigenlijk was. Het was maar goed dat ze Diederik had afgewezen. Hoeveel pijn dat ook deed.

Hoofdstuk 10

'Ik ga met je mee. Ik heb zin om er even uit te zijn.'

Nina keek verschrikt naar Sofie. 'Dat hoeft niet. Ik kan het wel alleen.'

'Dat weet ik, maar ik wil graag een frisse neus halen. En ik mag toch zeker wel met mijn eigen kinderen naar de school van mijn eigen nichtje wandelen?'

'Ja, maar...' Hoe moest ze dit uitleggen? 'Ben je niet bang dat je herkend wordt?'

'Daar ben ik aan gewend. Als jij het vervelend vindt om naast me te lopen, mag je ook wel thuisblijven, hoor. Ik ga in ieder geval. Het is al maanden geleden dat ik voor het laatst Roos van school gehaald heb.'

'Oh... Nee, ik ga wel mee. Mij kan het niet schelen.'

'Mooi zo. Mij ook niet.'

Sofie had zo'n vastbesloten uitdrukking op haar gezicht dat Nina zich afvroeg hoeveel ze nu eigenlijk wist. Of was ze werkelijk zo naïef dat ze niet begreep hoe dom het was om zo kort na een gebeurtenis die alle bladen, inclusief het reguliere nieuws, gehaald had, in het openbaar te verschijnen? Voor iemand die bang was voor de roddelpers had Sofie blijkbaar niet veel inzicht in dat soort dingen.

Zodra ze in de buurt van de school waren, zag ze hem al. De fotograaf stond klaar met zijn camera. Nina gaf een ruk aan de kinderwagen. 'Misschien kunnen we beter die kant opgaan.'

'Waarom? Roos komt toch uit die deur?'

'Ja, maar...' Hij had al een paar foto's genomen en liep nu heel brutaal recht op hen af.

'Sofie, die fotograaf.'

'Ik had hem al gezien. Het is geen probleem.' Sofie lachte vriendelijk naar de man, die nog een foto nam, waar ook de twee baby's duidelijk opstonden.

'Durf je nog gewoon over straat zonder bewaking?'

Nina hield haar adem in van schrik. Waarom vroeg hij dat? Het was een van de dingen waar ze zelf ook over nagedacht had, maar omdat niemand anders erover begonnen was, had ze haar mond maar gehouden. Zelfs Marco, die toch altijd alles in de gaten hield, had er niet aan gedacht dat ze misschien nergens meer veilig zouden zijn.

Maar Sofie bleef glimlachen en zei: 'Omdat één idioot een stomme actie uithaalt? Nee, dat lijkt me overbodig.'

'Misschien heeft hij wel mensen op ideeën gebracht.'

'Dan hoop ik dat die mensen inzien dat er nog nooit iemand rijk geworden is van een ontvoering. De meesten eindigen in de gevangenis.'

'Dat is waar. Maar je kunt toch begrijpen dat mensen graag een graantje meepikken van jullie rijkdom? Het is tenslotte oneerlijk verdeeld in de wereld.'

'Dat is het absoluut. Maar is het dan niet eerlijker als een deel van ons geld naar mensen gaat die eerlijk blijven en niet bereid zijn onschuldige baby's te vermoorden?'

'Je bedoelt dat jullie aan goede doelen geven?'

'Zoals iedereen die het kan missen dat zou moeten doen. En dat mag je letterlijk in je artikel zetten.'

Hij knikte. 'Om welke doelen gaat het dan? En om welke bedragen?'

Sofie schoot in de lach. 'Je denkt toch niet werkelijk dat ik daarover ga uitweiden?'

'Nee, maar het was te proberen.'

'Oh, daar is Roos. Wacht jij hier, Nina, dan vang ik haar op.'

Sofie liep weg. De fotograaf knikte naar Nina en stak zijn hand in zijn zak. 'Slimme zet om haar vandaag mee te laten komen. Leuk geregeld. Dat is me wel wat waard.' Hij opende zijn portemonnee en haalde er een bankbiljet uit.

'Wat bedoel je? Oh! Nee, hoe kom je daarbij? Dat heb ik niet geregeld.'

'Goed zo. Blijven ontkennen voor het geval iemand het hoort.'

Hij gooide een briefje van vijftig in de kinderwagen en liep fluitend weg. Nina griste het briefje uit de wagen en wilde hem nalopen, maar besefte dat ze de baby's niet alleen kon laten staan. En met de brede kinderwagen kon ze niet eens tussen de geparkeerde auto's doorkomen om hem te bereiken. Peinzend bleef ze met het briefje in haar handen staan. Sofie kwam met Roos aan de hand teruglopen en zei verbaasd: 'Wat is er? Je kijkt zo wanhopig?'

Nina schrok op en stopte snel het bankbiljet in haar zak. 'Niets. Tenminste... ik moet ergens met je over praten, maar dat kan straks ook wel.'

'Dat is prima. Zeg, wat is er met die moeder van Tara aan de hand?'

'Hoe bedoel je?'

'Ze viel zowat flauw toen ze mij zag.'

'Oh, dat mens is geobsedeerd door jou. Ze is al weken bezig haar dochter naar voren te schuiven als de beste vriendin van Roos. Waarschijnlijk in de hoop dichter bij jou te komen. Ze heeft ook geprobeerd vriendschap met mij te sluiten en ik denk nog steeds dat ze dat vooral deed om meer over jou te weten te komen.'

'Tara zegt dat jij beroemd bent, tante Sofie.' Roos had overduidelijk meegeluisterd.

'Dat is ook wel zo. Maar dat betekent niet dat ik met iedereen die dat wil vriendjes hoef te worden.'

'Tara wil vrienden met mij zijn omdat jij beroemd bent. Dat heeft ze zelf gezegd. En haar moeder wil jouw vriendin zijn. Maar ik wil dat eigenlijk niet. Ik vind Esmee veel liever.'

'Ik word alleen vriendinnen met mensen die mij ook aardig zouden vinden als ik niet beroemd was. En dat mag jij ook doen. Je hoeft geen vriendjes te zijn met kinderen die alleen maar met je willen spelen omdat ik je tante ben.'

'Maar hoe weet ik dat?'

Sofie zuchtte. 'Dat is een goede vraag. Ik weet het ook niet altijd. Maar ik denk dat je meestal wel kunt merken of iemand je echt aardig vindt.'

'Tara vindt mij eigenlijk stom. Dat zei ze ook. Maar haar moeder wil dat ze modelfoto wordt. Wat is dat?'

'Fotomodel. Dat ben ik ook. Dat betekent dat het mijn werk is dat mensen foto's van me maken in de nieuwste kleren. Weet je nog dat wij samen op de foto gingen in de kleren die mama verkoopt?'

'Ja, dat was leuk. Maar het duurde wel lang.'

'Nou, toen waren wij samen fotomodel. En je hebt gelijk. Het duurde lang en het is niet altijd leuk. Daarom is het werk. Maar sommige mensen denken dat het alleen maar leuk is.'

'Word ik later ook fotomodel?'

'Als je dat wilt. Maar ik dacht dat je dierenarts wilde worden. Of professor?'

Roos dacht diep na, met een schattig fronsje tussen haar wenkbrauwen. 'Ik wil dat allebei. Dieren beter maken is leuker dan de hele dag op de foto gaan.'

'Dat is het zeker.'

'Waarom ben jij dan geen dierenarts?'

Sofie grinnikte. 'Wijsneus! Omdat ik daar niet voor geleerd heb.'

'Mama zegt dat je heel hard moet leren om dierenarts te worden. Dat wil ik wel. Ik vind leren leuk.'

'Gelukkig maar.'

'Tara zegt dat ze eigenlijk niet beroemd wil worden. Dat lijkt haar niet leuk. Ze is verlegen. Ik ben niet verlegen, maar ik wil ook niet beroemd worden.'

'Goed zo. Het is heus niet altijd leuk.' Sofie draaide de kinderwagen om. 'Kom, we gaan naar huis. Anders hebben we niet genoeg tijd om te eten.'

'Oh, nu had ik jullie nog bijna gemist!' Een hand werd op de kinderwagen gelegd en hield hem tegen. 'Nina, wat fijn je weer te zien. Ik begreep dat je een ongelukje hebt gehad?'

Hoe wist zij dat? Voor zover Nina bekend was, had dat verhaal niet in de bladen gestaan. Toen ze Sara eens goed bekeek zag ze dat die zich blijkbaar razendsnel had opgemaakt. Helemaal netjes was het niet gelukt. Het leek heel wat van een afstandje, maar van dichtbij kon je zien dat het haastwerk was. En wat had ze met Tara gedaan? Het grappige kleutergezichtje was omgetoverd in een nietszeggend poppengezicht.

'En is dit Sophia? Wat een eer je te ontmoeten. Ik ben een bewonderaar. En onze Tara is een collega van je, hè Taar? Ze heeft al een paar fotoshoots gehad en zelfs al eens een show gelopen.'

'Oh, wat leuk.' Sofie boog zich naar Tara. 'Wat vind jij het leukst? Ik doe liever foto's.'

'Ik vind het allebei stom. Ik vind kleren stom. Krullen in mijn haar doet pijn en het stinkt. En die make-up kriebelt. Ik wil veel liever een spijkerbroek en korte haren.'

'Waarom zeg je dat dan niet tegen mama?'

Het meisje haalde moedeloos haar schouders op. 'Ze wil niet luisteren.'

Sara keek boos naar haar dochter. 'Ze is nog veel te jong om te beseffen wat ik voor haar doe. Ik gun haar alle kansen die ik zelf gemist heb. Mijn ouders hadden heel andere plannen voor mij.'

'Net zoals jij andere plannen voor Tara hebt dan zijzelf?'

'Dat is iets anders.'

'Volgens mij niet. Ik mag me er natuurlijk eigenlijk helemaal niet mee bemoeien, maar ik zou mijn eigen kinderen en mijn nichtje, niet stimuleren in de richting van het modellenwereldje. Als ze het zelf willen is het wat anders, maar het is echt niet alleen maar een mooi beroep. Er wordt wel langzaam wat verbeterd, maar er blijft een hoop misgaan op het gebied van eetproblemen. Om maar wat te noemen, want er speelt nog wel meer. Alleen mensen die het heel graag willen staan sterk genoeg in hun schoenen om het vol te houden.'

'Tara weet gewoon nog niet wat ze wil. Daar is ze te jong voor. Maar later zal ze me dankbaar zijn voor de goede start die ik haar heb gegeven.'

'Ik hoop het voor je. Het kan ook zijn dat ze het je nooit vergeeft dat je haar niet de kans hebt gegeven om gewoon kind te zijn in die paar kostbare jaren waarin dat kan.'

Sofie liet Sara staan en duwde de wagen verder. Nina liep met Roos achter haar aan.

'Dat waren wijze woorden.'

'Ja, maar meestal helpt het niet. Ik heb het helaas al vaker gezien en het lukt gewoon niet om tot dat soort mensen door te dringen.'

'Daar ben ik ook bang voor.' Ineens schoot het haar te binnen. Dat was het! Nina stopte abrupt. Sofie stopte ook en keek haar verbaasd aan. 'Wat is er?'

'Hoe wist ze dat ik een ongeluk had gehad? Ze deed me de hele tijd aan iemand denken en nu weet ik het. Wacht even.'

Ze liet Roos los en rende terug naar Sara.

'Ben jij familie van Nico Jansma?' Sara wilde haar hoofd schudden, maar Tara zei: 'Dat is mijn oom. Hij werkt bij de televisie.'

'Aha. Je broer?'

Sara werd rood en knikte. 'Maar ik wist niet wat hij van plan was. Echt niet. Ik dacht dat hij met jou aanpapte om mij te helpen dichter bij Sophia te komen. Ik had nooit verwacht dat hij...'

'Dat geloof ik dan maar. Maar als jij nog één poging doet om bij Roos of Sofie in de buurt te komen, bel ik de politie om te vragen of er iets aan gedaan kan worden. Ik heb namelijk het vermoeden dat Nico wist dat wij in de studio waren omdat jij hem dat doorgegeven hebt.'

'Ik wist het echt niet. En anders zou ik het niet gedaan hebben. Je moet me geloven.'

Nina haalde haar schouders op. 'Ik moet jou helemaal niet geloven. En ik denk ook niet dat ik dat doe. Misschien was je wel van plan via mij met Sofie bevriend te raken en dan de grote vriendin uit te gaan hangen als Nico haar baby's had.'

Ze zag aan Sara's gezicht dat ze raak gegokt had. 'Bah!'

Omdat ze zoals gewoonlijk de woorden niet kon vinden om te zeggen wat ze nog meer dacht en voelde, draaide ze zich om en liep terug naar Sofie.

'Ze is Nico's zus.'

'Nee toch? Denk je dat ze hem geholpen heeft?'

'Ze zegt van niet, maar ik vertrouw haar niet. Misschien moeten we de politie bellen.'

'Misschien wel, maar ik vind het zo zielig voor dat kind. Ze heeft niet actief meegeholpen, toch?'

'Nee, alleen informatie doorgegeven, denk ik. Maar dat is al erg genoeg. En ze heeft Roos overstuur gemaakt met haar gedraai om Tara bij jou in de buurt te krijgen.'

'Ja, maar dat is helaas niet strafbaar. Waarom wist ik dat trouwens niet?'

'Jij hebt haar de afgelopen tijd niet weggebracht.'

'Nee, maar zowel jij als Renske hebben me er niets over verteld. Ik...' Sofie wierp een blik op het kleine meisje dat tussen hen in huppelde. 'Nou ja, dat kan ook wel wachten tot er geen kleine potjes met grote oren meer in de buurt zijn.'

'Dat ben ik, hè? Mama zegt dat ook altijd. Maar ik heb helemaal geen grote oren.'

'Nee, maar je hoort wel allerlei dingen die niet voor kleine meisjes bestemd zijn.'

'Dan ben ik een potje met goede oren.'

Sofie knikte lachend. 'Precies.'

Nina bracht Roos alleen naar school. Tot haar opluchting zag ze zowel Sara als de fotograaf niet. Ze leverde Roos af in de klas en bleef dralen tot ze echt weg moest. Ze had eigenlijk niet zoveel zin om naar huis te gaan. Hoewel ze wist dat ze Sofie moest vertellen over de fotograaf, vond ze eigenlijk het gedoe met Sara al meer dan genoeg vervelend nieuws. Het kwam er toch op neer dat Sofie en iedereen die dicht bij haar stond, nergens veilig was. Toen ze thuiskwam, zat Sofie klaar met een pot thee. 'Kom, ga zitten. Wij moeten eens praten. Ik begin te vermoeden dat er van alles voor mij verzwegen wordt, hier.'

Nina zuchtte en ging naast Sofie zitten. Die schoot in de lach. 'Je doet wel heel dramatisch.'

'Dat is het ook. Tenminste... Het vervelende is dat het mijn schuld is dat je het weet.'

'Ik weet nog niets. En ik begrijp niet wat je bedoelt.'

'Renske vroeg of ik je erbuiten wilde houden. Omdat de pers toch altijd al je zwakke punt is.'

'Dat is het inderdaad. Maar dat betekent niet dat je dingen voor me moet gaan verzwijgen. Wat is er precies aan de hand?'

'Dat gedoe met Sara... dat staat er eigenlijk los van, behalve dan dat het haar natuurlijk wel om jouw bekendheid te doen is. Maar daarnaast staat die fotograaf regelmatig bij de school van Roos. Hij doet niet eens zijn best om te verbergen dat hij foto's van ons maakt.'

'Dat weet ik. Ik heb ze gezien.' Ze lachte om Nina's verbaasde gezicht. 'Jij niet? Ik zal ze straks laten zien. Je staat er leuk op.'

'Maar... '

'Lieverd, ik ben er toch aan gewend? Dacht je nu echt dat ik daar overstuur van raakte? Renske had ook beter moeten weten.'

'Ze wilde je beschermen. Je was net bevallen en je hebt het zo vreselijk druk de laatste tijd. En die foto's zijn niet het enige.' Ze besloot het er nu maar meteen uit te gooien. 'Hij denkt dat hij me kan omkopen voor verhalen over jullie.'

'Waarom denkt hij dat?'

'Omdat er in Amerika iets gebeurd is dat daarop lijkt. Maar in werkelijkheid was dat de verloofde van mijn... eh... van de man waarmee ik een relatie had.'

Sofie trok haar wenkbrauwen op. 'Dat moet je me toch iets beter uitleggen.'

'Andrew was de jongere broer van mijn laatste werkgeefster. Hij woonde doordeweeks bij ons omdat hij dan dichter bij zijn werk zat. We werden verliefd. Tenminste, hij flirtte met me en beweerde dat hij verliefd op me was. Hij had het zelfs over trouwen. Maar toen bleek dat hij al verloofd was. Zijn zus was woest, op mij en op hem. Iemand van het personeel bracht het verhaal over aan Andrews verloofde, die zo mogelijk nog kwader was. Zij lekte foto's en een verhaal over ons naar de pers om wraak op hem te nemen en om te zorgen dat iedereen begreep waarom zij het uitmaakte met hem. Maar helaas deed ze dat onder mijn naam. Toen ze besefte dat ik ook een slachtoffer was, heeft ze geprobeerd mijn naam te zuiveren. Het au pair bureau geloofde ons, maar het verhaal doet nog steeds de ronde.'

'En wat heeft dat met die fotograaf te maken?'

'Hij dacht dus dat ik het wel had gedaan en begon met hinten dat hij wel een leuk prijsje kon maken. Toen ik hem vertelde dat ik dat absoluut niet deed, probeerde hij me te chanteren.'

'Dat had je ons direct moeten vertellen!'

'Dat wilde ik ook doen, maar het kwam er niet van. En ik was steeds zo bang dat er rare verhalen over je zouden verschijnen en dat je dan toch zou denken dat ik...'

Sofie legde haar arm om Nina's schouders. 'Er verschijnen regelmatig rare verhalen over mij. Dat boeit me niet echt.'

'Maar je zou me niet meer vertrouwen.'

'Waarom niet? Ik ken je nu toch? Ik vertrouw je volkomen. Jij vertrouwt mij niet, maar dat is iets anders.'

'Ik vertrouw je wel.'

'Maar je durft me niet alles te vertellen wat je dwarszit.'

Nina zuchtte. 'Dat klopt, maar dat ligt niet aan jou. Nee, wacht even. Ik moet eerst nog meer over die fotograaf vertellen. Dat is veel belangrijker.'

'Dat betwijfel ik, maar ga je gang.'

'Vanochtend dacht hij dat ik het er expres op aangestuurd had dat jij meekwam en hij gaf me er geld voor.' Ze haalde het briefje uit haar zak en legde het op tafel. 'Ik heb het echt geweigerd, maar hij gooide het in de kinderwagen. Ik weet niet wat ik ermee moet doen. Ik vind het echt verschrikkelijk.'

'Vijftig euro? Hij heeft je behoorlijk afgezet. Ik durf te wedden dat hij voor een rechtstreeks interview en foto's van dichtbij vele malen meer krijgt.' Sofie lachte. 'Kijk niet zo benauwd. Jij kunt er toch niets aan doen? Ik weet hoe die lui werken. Daar doe je niets tegen. Stop die vijftig euro maar lekker in je zak.'

'Dat kan ik niet doen, want dan houdt hij er nooit mee op. Ik moet het teruggeven.'

'Daar heb je ook wel weer gelijk in. Jammer. Van mij mag hij dat geld kwijt zijn.'

Nina dacht even na. 'Je zou het uit zijn naam kunnen storten voor een goed doel. Dat sluit mooi aan bij het artikel dat hij gaat schrijven. Als hij zich houdt aan wat je gezegd hebt, tenminste.'

'Dat is een goed idee. Ik zal zijn naam in de omschrijving zetten, zodat het duidelijk is van wie het komt. En dan mail ik hem het overschrijfbewijs.' Sofie knikte tevreden. 'Dat is dan ook weer opgelost. Verder nog iets dat je me beter had kunnen vertellen?'

'Nee, ik denk het niet.'

'In het vervolg wil ik alles gewoon direct horen, juist als het om zulke dingen gaat. Daar kan ik prima tegen. Ik ben veel sterker dan jullie denken.'

'Dat zei Diederik ook al.'

'Heb je het hem wel verteld?'

'Gedeeltelijk.'

'En zelfs hij snapt dat ik er best tegen kan. Je had beter naar hem kunnen luisteren.'

Nina knikte zwijgend.

'Nu we het toch over hem hebben... wat is er tussen jullie aan de hand? Ik dacht dat er iets opbloeide, maar nu heb ik hem al bijna een week niet meer gezien.

'Hij kwam toch vroeger ook niet iedere dag? Morgen gaat hij weer met Roos naar de bibliotheek.'

'Je weet heel goed dat ik dat niet bedoel. Hij kwam voor jou en hij kwam de laatste tijd wel degelijk vaker.'

'Omdat ik ziek was. Hij was de dokter en ik de patiënt. Nu ben ik weer beter.'

Sofie zuchtte. 'Dat bedoel ik dus. Je vertrouwt me niet. Dat hoeft ook niet per se, maar ik ben bang dat er helemaal niemand is die je in vertrouwen durft te nemen. Of praat je wel met Renske over dit soort dingen?'

'Nee, ook niet.'

'Waarom niet?'

Nina keek Sofie wanhopig aan. 'Ik weet niet wat ik moet zeggen. Het is allemaal niet belangrijk.'

'Het hoeft ook niet belangrijk te zijn. Wat het ook is, je kropt alles op tot je eraan onderdoor gaat. En dat hoeft niet. Wij zijn er voor je.'

'Er is niets aan de hand. Nou ja, eigenlijk wel, maar dat los ik niet op door erover te praten.'

'Maar het kan wel opluchten. Jij bent niet gewend dat er mensen zijn bij wie je je hart kunt uitstorten, blijkbaar. Ik weet dat je jong je moeder verloren hebt en dat je stiefmoeder niet al te vriendelijk is. Maar heb je nooit vriendinnen gehad waar je alles mee kon bespreken?'

'Nee. Maar ik heb daar ook niet zo'n behoefte aan. Meestal gaat het vanzelf wel over.'

Sofie lachte. 'Misschien wel. Maar soms is praten wel degelijk goed. En bovendien voel ik me verantwoordelijk. Het komt door ons dat je Diederik hebt leren kennen.'

'Dat is onzin. Ik word toch niet verliefd op iedere man die hier langskomt?'

Sofie glimlachte. 'Dus je bent wel verliefd op hem?'

'Oh, dat is niet eerlijk. Ik weet het niet. Maar het maakt niet uit, want het kan gewoon niet. We passen niet bij elkaar.'

'Waarom niet?'

'Hij is zo slim.'

Sofie keek haar afwachtend aan en vroeg toen: 'En? Want dat alleen is toch geen reden om niet bij hem te passen?'

'Natuurlijk wel. Ik ben dom. Dat kan niet goed gaan.'

'Jij bent helemaal niet dom. Je bent dyslectisch. Dat is iets heel anders.'

'In theorie misschien wel, maar in de praktijk niet.'

'Hoe kom je daar toch bij? Wie heeft je dat wijsgemaakt?'

'Het is gewoon zo. En Diederik is juist hoogbegaafd. Hij zou gek van me worden.'

'Hij kan inderdaad behoorlijk scherp en ongeduldig uit de hoek komen. Maar het is me juist opgevallen dat hij bij jou zoveel meer op zijn gemak lijkt te zijn dan bij ons.'

Nina haalde haar schouders op. 'Dat zei hij ook al. Maar dat is onzin. Uiteindelijk gaat het toch mis.'

'Waarom denk je dat toch?'

'Omdat het zo is.'

'Andrew?'

'Onder andere. Het spijt me, Sofie, ik wil er echt niet over praten.'

Het was duidelijk dat het Sofie teleurstelde, maar ze knikte. 'Dat is je goed recht. Maar ik wil niet meer horen dat je jezelf zo naar beneden haalt. Je beledigt daarmee iemand om wie ik veel geef.'

Nina keek haar verbaasd aan en glimlachte toen. 'Ik zal mijn best doen.'

Hoofdstuk 11

Het liefst zou Nina zich in haar kamer hebben opgesloten rond de tijd dat ze Diederik verwachtte, maar dat zou flauw zijn geweest. En het was nog werkweigering ook, want op de een of andere manier waren er ineens allerlei spoedopdrachten en dubbele afspraken geweest, waardoor iedereen weg moest. Ze was alleen thuis en zij was dus degene die Roos op moest vangen.

De bel ging en ze rechtte haar rug. Als ze hier wilde blijven werken, zou ze hem wekelijks zien. En dan kon ze maar beter meteen leren hoe ze hem tegemoet moest treden.

'Hallo Diederik.'

'Hoi Nina. Hier is Roos.'

'We hebben weer heel mooie boekjes. Wil je ze zien?'

'Natuurlijk.' Nina keek Diederik aarzelend aan. Moest ze nu vragen of hij koffie wilde? Eigenlijk wilde ze gewoon dat hij wegging. Maar ze kon toch moeilijk de deur voor zijn neus dicht doen?

Roos loste het voor haar op. 'Diederik heeft vreeeeeslijke trek in koffie. Dat heeft hij net gezegd en daarna gaan we memory spelen.'

Diederik glimlachte. 'Wijsneus. Dat had je niet mogen verklappen. Nu lijkt het net of ik mezelf uitnodig.'

Nina haalde diep adem en glimlachte. 'Dat mag best. Kom binnen. Ik zal koffiezetten. Ga maar vast naar de huiskamer.'

In de keuken riep ze zichzelf tot de orde. Dit was niet haar huis. Diederik was de vader van Roos en een goede vriend van de familie. Ze had geen recht hem voor de deur te laten staan.

Hij keek op toen ze binnenkwam. 'Waar is iedereen?'

'Weg. Ze hadden allemaal spoedopdrachten en dubbele afspraken.'

'Oh ja?' Hij grijnsde. 'Toevallig?'

'Wat bedoel je? Oh! Dat had ik nog niet bedacht. Denk je dat ze het expres gedaan hebben? Maar dat slaat toch nergens op? Er is een kleuter bij. Dat praat niet echt gemakkelijk. Niet dat er iets te praten valt, trouwens.'

'Ik denk het wel. Ik heb je bewust een tijdje met rust gelaten, maar ik was nog niet uitgepraat.' Hij haalde zijn schouders op. 'Nou ja, om eerlijk te zijn was ik ook gewoon beledigd en wilde ik je voor straf de rest van mijn leven negeren.'

Ondanks alles moest ze lachen om de manier waarop hij dat zei.

'Waarom ben je van gedachten veranderd?'

'Omdat ik mezelf er net zo hard mee straf. Ik wil je niet negeren. Ik wil dit probleem de wereld uithelpen. Wat heb ik fout gedaan? Ik weet dat ik niet altijd even vriendelijk overkom. Is dat het probleem?'

'Nee, het ligt aan mij. Ik ben veel te dom voor jou.'

Diederik keek haar verbluft aan. 'Dat meen je niet.'

'Dat meen ik wel. Jij bent hoogbegaafd.'

'Ja, dat klopt. Maar heb ik iets gezegd waardoor je het gevoel kreeg dat ik je dom vind?'

Nina schudde haar hoofd. 'Nee, jij niet.'

'Wie dan wel?'

Ze zuchtte. 'Meer dan genoeg mensen. Het is gewoon zo. We passen niet bij elkaar. Ik wil er niet over praten.'

Roos had met veel aandacht de boeken opgestapeld en trok er eentje tussenuit.

'Wil jij die voorlezen, Nina?'

Weer zo'n boek met veel tekst. Roos hield van lange verhaaltjes en had niet veel plaatjes nodig om haar fantasie te laten werken. Maar dit kon ze niet even snel voorlezen.

'Dat is wel erg lang, Roos. Heb je geen andere?'

'Moet je deze eerst even zelf lezen?' Nina had het Roos uiteindelijk een klein beetje uit moeten leggen. Het kind had dat blijkbaar goed onthouden.

'Ja.'

'Anders gaat het niet, hè? Maar dat geeft niets, hoor.'

Nina zag dat Diederik naar haar keek. Nu wist hij dat ze niet goed kon lezen. Nou ja, misschien was dat ook wel beter. Dan snapte hij dat het nooit iets kon worden tussen hen.

De telefoon ging en Roos huppelde ernaartoe. 'Mag ik hem opnemen?'

'Ja, dat mag. Maar daarna wel aan mij geven, hè?'

Roos stond erom bekend dat ze regelmatig de telefoon gewoon weer ophing zonder ook maar een flauw vermoeden te hebben wie er had gebeld. Gelukkig bestond er nummerherkenning. Maar deze keer kweet ze zich heel netjes van haar taak.

'Met Roos de Wit.' Ze luisterde even. 'Ja. Nina zorgt voor mij en de baby's.' Ze keek Nina aan. 'Een mevrouw wil met jou praten.'

Nina trok haar wenkbrauwen op. 'Met mij?'

Ze hoopte maar dat het Sara niet was. Dat kon ze er nu even niet bij gebruiken.

'Met Nina.'

'Met José. Ik heb slecht nieuws.'

Haar stiefmoeder? Dat kon maar een ding betekenen.

'Wat is er met mijn vader?'

'Hij heeft een hartaanval gehad. Een behoorlijk zware. Hij wil je graag zien.'

Nina pakte de pen en het notitieblokje die altijd bij de telefoon in de buurt lagen en noteerde de gegevens die haar stiefmoeder doorgaf.

'Ik kom zo snel mogelijk.'

'Dat is misschien niet snel genoeg. Was ik niet duidelijk? Het gaat slecht met hem en hij wil je zien. Kun je vanavond komen?'

'Dat weet ik niet. Ik ben aan het werk.' Kon ze Diederik op Roos laten passen? Als hij tijd had, deed hij het waarschijnlijk wel, maar het was de vraag of hij niet weg moest. 'Ik ga overleggen. Je ziet me wel verschijnen. Bel me als... als er iets verandert.' Ze legde de hoorn op de haak en zag tot haar ergernis dat haar handen trilden. Tegenover José voelde ze zich altijd extra dom.

Diederik keek haar bezorgd aan. 'Wat is er?'

'Mijn vader. Hij heeft een hartaanval gehad.'

'Je moet naar hem toe.'

'Ja, maar ik moet op Roos passen.'

'Toevallig vermoed ik dat Renskes spoedafspraak gewoon bij Peter thuis is.' Hij lachte om haar verbaasde gezicht. 'Ik heb haar daar naar binnen zien gaan.'

'Kun jij niet op haar passen?'

'Dat kan ook, maar hoe kom jij dan in het ziekenhuis?'

'Met de auto?'

'Die zijn allemaal in gebruik. En bovendien ben je op deze manier niet in staat om te rijden. Ik breng je.' Hij pakte zijn gsm en belde Renske om te vragen of zij naar huis kon komen voor Roos.

'Ze komt eraan.'

Blijkbaar had Diederik gelijk met zijn veronderstelling, want binnen tien minuten kwam Renske, met Peter in haar kielzog, binnenrennen. Ze liep direct naar Nina toe en sloeg haar armen om haar heen.

'Wat erg voor je. Kan ik iets voor je doen? Zal ik met je meegaan?'

'Ik ga met haar mee. Tenminste...' Diederik keek Renske schuldbewust aan. 'Als ik je auto mag lenen.'

'Natuurlijk! Wat een geluk dat ik niet echt een belangrijke afspraak had.' Ze sloeg haar hand voor haar mond. 'Oeps!'

Nina lachte. 'We dachten al zoiets. Maar hoe had je dat bedacht, met een kleuter over de vloer?'

'Peter zou zogenaamd spontaan langskomen en jullie uit eten sturen. Dat moeten we dan maar een andere keer doen. Eerst moet je naar je vader toe. Ben je niet erg ongerust?'

Nina haalde haar schouders op. 'Waarvoor? Ik heb hem al jaren niet meer gezien.'

'Dat is waar ook. Zo jammer als je geen goede band met je ouders kunt houden. Dat was bij ons ook zo en ik ben altijd jaloers geweest op meisjes die wel een leuke vader hadden. Daarom ben ik zo blij dat Roos er straks zelfs twee heeft.'

Ze knipoogde naar Diederik, die verlegen lachte en daarna kuchte. 'Ben je zover, Nina? Het is wel een uur rijden, denk ik.'

'Ik ben klaar.' Voor zover dat kan, voegde ze er in gedachten aan toe.

Ze was blij dat Diederik haar tijdens de rit niet lastigviel met moeilijke vragen. In plaats daarvan vertelde hij over zijn middag met Roos in de bibliotheek.

'Op een gegeven moment was ik zelf even verdiept in een boek en toen was ik haar kwijt. Overal gezocht, maar ik kon haar nergens vinden. Ik raakte al bijna in paniek. Tot ik ineens bedacht dat ik haar iets had horen zeggen over dat ze nog veel meer dieren-boeken had gevonden. En daar vond ik haar, bij de boeken voor volwassenen. Ze zat in een hoekje te bladeren in een gigantisch naslagwerk over dieren. Zo jammer dat we die niet mee mochten nemen. Misschien koop ik hem voor haar verjaardag. Weet je wat ze het leukst vond?'

Nina glimlachte. Hij was de afgelopen tijd veranderd. Af en toe nog steeds stug en teruggetrokken, maar de manier waarop hij met Roos omging was echt enorm verbeterd. Ze hoorde een warmte in zijn stem die er eerder niet geweest was.

'Geen idee,' antwoordde ze.

'Dat er plaatjes waren van de binnenkant van dieren. Zo drukte ze dat zelf uit. En we hadden een hele discussie over hoe de te-kenaar dan wist hoe zo'n dier er vanbinnen uitziet. Je zou toch zeggen dat zo'n jong kind dat eng of raar vindt, maar ze vond het geweldig. Roos is echt vreselijk bijdehand.'

'Van wie zou ze dat nou hebben?'

'Tja, ze heeft duidelijk de hersenen van haar vader geërfd.' Het klonk vertederend trots, maar toch stak het. Haar vader had dat nooit kunnen zeggen.

Diederik parkeerde zijn auto op het bomvolle terrein van het streekziekenhuis en keek Nina aan.

'Zal ik hier op je wachten?'

'In de auto? Dat hoeft niet. Van mij mag je meelopen. Ik weet alleen niet of je ook zijn kamer in mag. José zei iets over twee bezoekers per keer of zoiets. Ach, daar weet jij natuurlijk meer over dan ik.'

'Dat is het probleem niet. De vraag is wat jij wil. Je ziet eruit alsof je wel wat morele steun kunt gebruiken, maar ik weet niet of je die van mij wilt hebben. Misschien had Renske beter met je mee kunnen gaan.'

Ze liepen samen door de hoofdingang naar binnen. In het felle licht dat in de gangen brandde keek Nina naar Diederiks gezicht. Ze kende hem inmiddels zo goed, dat ze niet meer schrok van de stugge uitdrukking daarop. Dat was onzekerheid, geen onvriendelijkheid.

'Nee, ik heb liever dat jij bij me bent. Maar ik weet niet of ik dat wel van je mag vragen.'

'Ik ben arts. Ik ben wel wat gewend.'

'Dat bedoel ik niet. Ik bedoel... ik...'

Hij legde zijn arm om haar schouders. 'Je hebt mijn liefde afgewezen, maar dat neemt niet weg dat ik van je hou. Ik wil je helpen en dat mag je accepteren zonder bang te zijn dat ik er consequenties aan verbind.'

Ze keek verrast op. Hij zei het kortaf en een beetje hoogdravend, maar het was eigenlijk heel lief.

'Dank je.'

Ze waren bij de kamer van haar vader aangekomen. 'Hij ligt in ieder geval niet op intensive care,' constateerde Diederik. 'Dat is een goed teken.'

Nina klopte op de deur en deed hem voorzichtig open. Er stonden vier bedden in de kamer, die allemaal bezet waren. In welke van die vier lag haar vader?

Een lange, magere vrouw stond op.

'Nina, eindelijk. Ik had nog zo gezegd dat je op moest schieten.'

'Ik kon niet sneller.'

'Nee, dat zal wel. Je bent altijd langzaam geweest.'

'Het spijt me.'

Nina voelde zich krimpen onder de ijzige blik van haar stiefmoeder, maar ze haalde diep adem en rechtte haar rug. Vanaf het bed zag ze haar vader wenken. Ze liep naar hem toe.

'Pap? Hoe gaat het?'

'Niet best. Mijn hart.'

'Wat zeggen de dokters?'

'Ik heb geen idee. Die lui communiceren niet.'

Diederik was op de achtergrond gebleven, maar haar vader had hem direct in de gaten.

'Wie is dat? Weer een arts? Waarom draagt hij geen witte jas?'

Nina wist dat haar vader op etiquette stond en zei vormelijk. 'Dat is Diederik de Lange. Diederik, dit is mijn vader, Rogier Veldman.' Terwijl Diederik haar vader de hand schudde, vervolgde ze: 'Diederik is een vriend van het gezin waar ik nu werk. Hij heeft me hier naartoe gebracht.'

'Dat is erg aardig van hem.'

Diederik keek peinzend naar haar vaders gezicht. Hij aarzelde even en zei toen tegen Nina: 'Ik ga even naar het toilet. Ik ben zo terug.'

José keek hem na. 'Dat heb je niet slecht gedaan, Nina.'

'Wat?'

'Aanpappen met iemand uit die familie.'

'Hij is gewoon een vriend.'

'Dat is jammer. Je zou wat meer moeite moeten doen. Hij is vast
een goede partij.'

Nina schudde haar hoofd. 'Dat is wel erg ouderwets. Ik heb geen
partij nodig. Ik kan prima voor mezelf zorgen.'

Haar stiefmoeder lachte cynisch. 'Dat zal best. Het is alleen zo
jammer dat je niet je leven lang au pair kunt blijven. Het is al belachelijk dat je dat zo lang gedaan hebt. En dan nog in Nederland
ook. Dat heeft niets te maken met culturele uitwisseling.'

'Voor mij wel. Ik was hier nog nooit geweest.'

Haar vader hief zijn hand op om het gesprek te onderbreken. Hij
was gewend dat hij daarmee direct alle aandacht kreeg en dat was
nog steeds zo. 'Je had ons wel eens kunnen komen opzoeken.'

'Dat was ik ook van plan, maar ik heb nog geen tijd gehad.'

'Je hebt toch recht op vrije dagen?'

'Natuurlijk.'

'Gebruik die dan ook. Ik moest in zo'n roddelblad lezen dat je in
Nederland bent.'

Het klonk verongelijkt, maar Nina wist dat hij voor het gemak
maar even vergat dat hij zelf zijn adres niet had doorgegeven.
Meer dan een berichtje via e-mail dat hij bezig was een huis te
kopen in zijn geboortestad had er niet afgekund. En daarna was
hij haar blijkbaar vergeten. Zoals dat wel vaker gebeurd was. Ineens vroeg ze zich af wat ze hier eigenlijk deed.

José trok een enorme handtas naar zich toe en haalde er een knip-
sel uit.

'Kijk. Ik heb het bewaard.'

Nina haalde haar schouders op. 'Ik hoef dat niet te lezen. Het zijn
toch altijd leugens.'

'Ach, dat was ik vergeten. Je kunt het helemaal niet lezen.'

Diederik kwam net op tijd binnen om die laatste woorden te horen, maar hij reageerde er niet op. Nina voelde haar wangen gloeien, maar ze ging er niet tegenin. Haar stiefmoeder had nog altijd het talent haar zo minachtend te benaderen dat ze zich nog onzekerder ging voelen dan ze altijd al deed.

'Laat dat artikel toch zitten.' Haar vader klonk geïrriteerd. 'Dat soort dingen windt me veel te veel op.'

Hij legde zijn hand op zijn hartstreek en Nina keek hem geschrokken aan. 'Het spijt me. Dat was niet de bedoeling.'

Hoe hij haar ook behandeld had, hij bleef haar vader. Nina voelde zich ineens schuldig. Hij zag er toch wel heel ziek uit. En José leek ook erg ongerust. Haar stiefmoeder pakte de hand van haar man en zei: 'Hij moet echt heel rustig aan doen. Waarschijnlijk mag hij binnenkort wel naar huis, maar hij zal nooit meer de oude worden.'

Nina's vader knikte. 'Ik ben blij dat ik hier niet hoef te blijven, maar dat wordt nog een probleem. Waar vind je tegenwoordig nog iemand die zowel de verpleging als het huishouden op zich kan nemen?'

José knikte. 'Ik kan nu zeker niet stoppen met werken. Het is niet eerlijk. Als je kleine kinderen hebt, kun je heel gemakkelijk een au pair vinden.'

Haar man zuchtte bevend. 'Precies. Maar een stervende oude man moet maar gewoon proberen zich te redden.' Hij keek Nina aan. 'Tenzij... ach nee, dat kan ik niet van je vragen.'

Nina boog zich naar hem toe. 'Tenzij wat, pap? Zeg het maar...'

'Tenzij jij bij ons komt wonen. Met jouw hulp redden we het wel.

Je mag dan allesbehalve slim zijn, maar je kunt prima je handen laten wapperen. Dat heb je gelukkig al jong geleerd.' Veldman knikte tevreden. 'Het klinkt misschien wat ouderwets, maar voor een meisje als jij zijn er toch geen andere carrières mogelijk.'

'Een meisje als Nina?' Diederiks stem klonk rustig, maar Nina hoorde de scherpe klank erin. Hij was kwaad. Ze kromp in elkaar. Zie je wel, ze had hem veel meer op een afstand moeten houden. Of hem de waarheid moeten vertellen. Want nu was hij kwaad omdat hij erachter kwam dat ze heel anders was dan hij dacht.

'Ja, lief maar dom. Een beetje onhandig is ze ook, maar gelukkig heel geschikt voor het grovere werk.'

'In welke eeuw zijn jullie blijven hangen? En waarom denken jullie dat Nina dom is?'

'Ze kan niet eens goed lezen. En denk niet dat we niets geprobeerd hebben om het haar te leren. Avond aan avond heb ik met haar geoefend. Maar veel beter is het niet geworden.' Meewarig schudde Nina's vader zijn hoofd.

Ooit gehoord van dyslexie?'

'Ja, natuurlijk.'

'Dat is iets anders dan dom zijn. John Kennedy, Alexander Bell en Einstein waren allemaal dyslectisch. Om maar eens een paar mensen te noemen, want de lijst is eindeloos lang.'

'Dat is mooi, maar helaas is de werkelijkheid toch echt dat mijn dochter niet zo slim is.'

'Waarom denkt u dat?'

Nina's vader werd rood van woede. 'Dat zeg ik toch? Ze kan amper lezen. Hoe kun je kennis vergaren zonder boeken te lezen?'

'Ik heb geen idee hoe ze dat doet, maar haar algemene kennis is groter dan de mijne. Leg eens uit hoe je dat doet, Nina?'

Nina schudde haar hoofd. 'Het doet er niet toe. Hij mag zich niet opwinden.'

'Precies. Au... de pijn....'

Toen Nina naar voren wilde stappen om geschrokken zijn hand te pakken, hield Diederik haar tegen.

'Ik heb daarnet even met de dienstdoende arts gesproken. Je vader kwam binnen met een vermeende hartaanval, maar hij heeft pyrosis. Alle onderzoeken wijzen uit dat hij verder kerngezond is.'

Nina trok haar wenkbrauwen op. Dat veranderde de zaak.

'Is dat waar, pap? Is het pyrosis?'

Ze zag iets in haar vaders ogen dat ze niet begreep. Zijn blik ging van haar naar Diederik en weer terug. Aarzelend gaf hij toe: 'Eh... ja. Heel ernstig. Ongeneeslijk.'

'Dat is het niet en dat weet je.' Ze keek hem geschokt aan. 'Je wilt dat ik thuiskom om het huishouden te doen en daarom doe je alsof je ziek bent. Hoe kun je dat doen?'

'Hij zegt net zelf dat ik pyrosis heb!'

'Ja, dat is de medische term voor overtollig maagzuur.'

'Hoe weet je dat? Je kletst maar wat.'

'Ik kan dan misschien niet zo snel lezen als jij, maar ik ben niet dom. Ik kijk naar informatieve programma's op televisie en ik luister naar podcasts en ingesproken boeken.'

'Dat betekent niets.'

'Voor jou blijkbaar niet. Maar Diederik is arts, dus hem kun je helemaal niets wijsmaken.'

'Ik... '

Nina stond op. 'Ik ga naar huis.'

'Thuis is bij ons.'

'Dat is het nooit geweest. Jullie zijn geen van tweeën ooit echt vriendelijk tegen me geweest. Ik heb geen band met jullie en die zal ik waarschijnlijk ook nooit krijgen.'

José keek haar minachtend aan. 'Natuurlijk niet. Jij hebt nooit op ons niveau mee kunnen praten.'

'Omdat jullie nooit iets tegen me zeiden.'

'Nee, omdat je dom bent, wat die vent je ook wijsgemaakt heeft.' Diederik kneep zachtjes in haar schouder. Nina legde haar hand op de zijne.

'Hij heeft me helemaal niets wijsgemaakt. Hij accepteert me gewoon zoals ik ben. Jullie zijn degenen die me iets wijs proberen te maken. Maar dat lukt niet meer. Ja, ik ben dom geweest. Omdat ik heb toegestaan dat jullie me kleineerden. Zelfs toen ik niet meer thuis woonde, zaten jullie nog in mijn hoofd, waar jullie me continu vertelden dat ik niet slim genoeg was om een leuk leven te leiden. Maar dat is nu voorbij.'

Ze liep naar de deur en draaide zich daar nog even om. 'Ik ben blij dat je niet ongeneeslijk ziek bent, pap. Maar ik weet niet of ik je ooit nog wil zien. Ik begrijp niet hoe je je eigen dochter zo kunt behandelen.'

Haar vader haalde zijn schouders op. 'Je was een teleurstelling. Mijn enig kind was te dom om in mijn voetsporen te treden. Ik had gehoopt op een nakomeling aan wie ik mijn werk kon nalaten. Maar ik kreeg alleen jou. Je bent me van het begin af aan tegengevallen.'

'Dat geeft je nog steeds geen recht om me te kleineren. Dat recht heeft niemand.'

'Dan moet je vooral niet trouwen met een man die zo ver boven je staat als hij daar. Kijk maar naar mij en je moeder. Ze was mooi, maar dom. Net als jij. Dat loopt gegarandeerd fout. Als ze niet gestorven was, zouden we gescheiden zijn.'

'Heb je er ooit bij stilgestaan dat het misschien aan jou lag? En dan niet aan je intelligentie, maar aan de manier waarop jij denkt mensen te kunnen behandelen?'

'Wacht maar tot de eerste verliefdheid eraf is. Dan wordt hij net als ik.'

Nina liep de kamer uit en trok de deur dicht. 'Hier hoef ik niet naar te luisteren. Ik wil naar huis.'

Diederik trok haar naar zich toe en kuste haar. 'Ik ben trots op je.'

Ze keek hem aan. 'Hoe wist je dat ik dyslectisch ben?'

'Dat vermoedde ik al een tijdje. Maar dat maakt toch niets uit?' Hij trok zijn wenkbrauwen op. 'Je gaat me toch niet vertellen dat dat de reden is dat je dacht dat je te dom bent om een relatie met mij te beginnen?'

'Eigenlijk wel. Maar je wist het dus al? Hoe lang?'

'Vanaf het begin. Je was zo ontwijkend bezig met die boeken, dat ik het direct snapte. Eén van mijn broers is ook dyslectisch.'

'Oh. En ik maar moeite doen om het voor je te verbergen... dus je wist al die tijd hoe dom ik was?'

Hij zuchtte. 'Nee, dat merk ik nu pas. Dyslexie hebben is niet hetzelfde als dom zijn. Maar blijven herhalen wat die ellendige ouders van je je hebben wijsgemaakt wel.'

'Het spijt me. Je hebt gelijk. Het is een gewoonte. Maar wel een heel domme. Ik ga mijn best doen om het af te leren.'

'Goed zo. Ik wil het niet meer horen.'

'Hoe wist je trouwens dat ik weet wat pyrosis is?'

'Dat wist ik niet, al hoopte ik het wel. Als jij het niet had geweten, had ik mijn 'ik ben arts' bom in de groep gegooid.'

Nina lachte. 'Het was wel leuk om mijn vader zo op zijn nummer te zetten. Maar ook triest, als je bedenkt dat hij me op deze manier wilde dwingen weer thuis te komen wonen. Hij had het ook gewoon kunnen vragen.'

'Zou je dan ja gezegd hebben?'

'Ik weet het niet. Nu in ieder geval niet meer. Ik weet niet of ik hem dit ooit kan vergeven.'

Hoofdstuk 12

Tot haar teleurstelling was Diederik tijdens de rit naar huis opvallend stil. Nina had aangenomen dat hij wel ergens zou stoppen om rustig te praten en om haar nogmaals naar haar gevoelens te vragen, maar hij reed in gedachten door tot ze thuis waren. Hij zette de auto stil en bleef even aarzelend zitten.

Nina legde haar hand op de zijne. 'Wat is er?'

Hij haalde zijn schouders op. 'Niets. Ik moet naar huis. Morgen vroege dienst.'

Gekwetst keek ze hem aan. 'Dat is niet waar. Waarom doe je ineens zo afwerend?'

Diederik zuchtte. 'Ik weet het niet. Ik had grote plannen om je nog eens te vragen of je van me hield en ik weet eigenlijk wel zeker dat het antwoord deze keer anders is. Maar ik blijf me maar afvragen of je vader geen gelijk heeft.'

'Mijn vader? Waarmee?'

'Met zijn voorspelling dat het fout zal lopen tussen ons.'

'Ik dacht dat we daar uit waren? Het was zijn schuld dat ik dacht dat het niets kon worden, maar ik weet nu dat de tegenstelling tussen ons tweeën een stuk kleiner is dan ik dacht. Ik was juist op zoek naar de beste manier om je te zeggen dat ik... dat ik wel van je houd.'

Ze ademde langzaam uit. Zo, nu had ze het gezegd. Maar Diederik reageerde niet zoals ze gehoopt had. Hij schudde zijn hoofd.

'Het gaat niet om jou, maar om mij. Ik ben geen leuk mens om mee te leven. Vraag maar aan Renske. We hebben een paar maanden samengewoond en dat was een grote ramp. En dat lag

volledig aan mij. Ik was egoïstisch, chagrijnig, ongevoelig en onredelijk.'

'En hoe kwam dat?'

Hij keek haar verbaasd aan. 'Wat bedoel je?'

'De Diederik die ik ken is niet zo. Je kunt af en toe wat stug
overkomen, maar je bent niet onredelijk en zeker niet gevoelloos.
Egoïstisch ben je ook niet, want je had me echt niet weg hoeven
brengen vanavond en je had ook gewoon in de auto of beneden
kunnen blijven zitten. In plaats daarvan heb je me geholpen en
gesteund. Ik weet niet wat er toen aan de hand was, maar er moet
meer zijn geweest.'

'Dat klopt wel. Ik had destijds grote problemen op mijn werk.
Maar dan had ik toch niet zo hoeven reageren? Stel nou dat hij
gelijk heeft?'

'Waarom zou hij op dat punt wel gelijk hebben als hij op alle
andere fronten fout zat?'

'Misschien ben ik wel net als hij.'

'Dat ben je niet.'

'Wat is het verschil? Hij is een briljant wetenschapper, die geen
band heeft met zijn dochter.'

'Jij hebt wel een band met Roos.'

'Roos heeft geen leerproblemen. Misschien zou ik anders wel net
zo'n rotzak zijn als hij.'

'Dat is onzin. Je moest aan haar wennen, maar het gaat steeds
beter.'

'Het gaat pas beter tussen ons sinds ik weet dat ik met haar ook
over andere dingen kan praten dan over trouwende Barbies.'

'Dat kon hij met mij toch ook? Hij liegt over dat tegenvallen. Dat is gewoon niet waar. Hij is kunsthistoricus en toen mijn moeder nog leefde nam hij me vaak mee naar musea en vertelde me over de voorwerpen die daar lagen. Hij wist dat ik niet dom was, want hij overhoorde me en ik maakte nooit fouten. In die tijd was hij nog trots op me. Hij is me pas zo gaan behandelen toen José in beeld kwam. Toen was ik ineens niet belangrijk genoeg meer voor hem. Jij doet juist heel erg je best om een echte band met Roos te krijgen. Mijn vader is een grote egoïst.'

'Ja, maar hij is zo geworden door zijn intelligentie.'

Nina schudde haar hoofd. 'Waarom wil je zo graag gelijk hebben? Het zou best kunnen dat hij door zijn intelligentie niet in staat is zich te verplaatsen in anderen, maar dat betekent niet dat iedereen met een bovengemiddelde intelligentie zo is.'

'Moeite met sociale vaardigheden is een veel voorkomend probleem bij hoogbegaafden.'

'Liefde is geen sociale vaardigheid. Je houdt toch van me?'

'Dat weet je.'

'En ik hou van jou. Ben jij van plan boos te worden als ik extra tijd nodig heb om iets te lezen?'

'Natuurlijk niet. Dat hoort bij jou.'

'Waarom denk je dan dat ik boos word als jij een keertje bot uit de hoek komt? Dat hoort toch bij jou? Wat deed Renske toen jij je zo gedroeg?'

'Ze onderging het zwijgend. Dat was nog wel het ergste. Ik wist dat het niet goed ging, maar we spraken er nooit over. Als ik ergens kwaad over werd, zorgde ze dat het niet meer gebeurde. Ik heb me echt zo verschrikkelijk slecht gedragen... Ik zeurde over rondslingerend speelgoed, over elk geluidje, over alles... Echt onredelijk. Uiteindelijk was ze zo erg bezig met mij ontzien dat zij en Roos er bijna aan onderdoor gingen. Dat wil ik jou niet aandoen.'

'Ik ben Renske niet. Ik weet dat ze bang was om na Peter jou ook nog eens kwijt te raken, maar dit was niet de goede manier om het aan te pakken. Je voelde je waarschijnlijk steeds meer buitengesloten.'

'Ja... zoiets was het wel. Wat zou jij gedaan hebben? Schelden? Ruzie maken?'

'Nee, ik zou gevraagd hebben waarom je zo mopperde. Ik zou zo redelijk zijn geweest dat jij dat ook wel moest worden.'

Hij grijnsde. 'Wat je altijd doet dus. En dat werkt. Maar dat bedoel ik juist. Eigenlijk had je gelijk. De tegenstelling tussen ons is veel te groot. Maar dan niet om de reden die jij noemde, maar omdat jij zo lief, zachtaardig, behulpzaam en redelijk bent en ik... ik ben gewoon een hork van een vent.'

Nina boog zich zwijgend naar hem toe en kuste hem op zijn mond. Hij reageerde heel even, maar zei toen: 'Ik meen het. Ik ben echt geen aardige man.'

'Daar ben ik het dus niet mee eens. Wat je in het ziekenhuis tegen me zei over liefde en vriendschap was meer dan lief. En zo kan ik nog wel meer voorbeelden noemen. Maar zelfs al zou het wel zo zijn... Ik hou van jou en jij houdt van mij. Ik ben...niet goed op school en jij juist wel. Ik ben dyslectisch en jij een boekenwurm. Ik ben lief en jij een hork. Nou en? Dan passen we juist prima bij elkaar. Tegenstellingen trekken elkaar aan. *Opposites attract*.'

Hij keek haar verbaasd aan en schoot toen in de lach. 'Had je dat niet eerder kunnen bedenken?'